クリフォード・ブラウン・スタイルの探究

mel bay presents

Essential Jazz Lines

in the style of clifford brown

本書は、Corey ChristiansenとKim Bockによる、独創的な音楽的研究と分析に基づいて執筆されており、
あなた自身のインプロヴァイジング・スタイルの上達に役に立つように編集されています。

また、本書は、クリフォード・ブラウンのインプロヴィゼイションに対するアプローチを探究したもので、
クリフォード・ブラウンのラインをトランスクライブしたものではありません。

Printed in Japan

ATN, inc.

CONTENTS

日本語版に寄せて

エッセンシャル・ジャズ・ライン・シリーズは、何人かの偉大なジャズ・ミュージシャンの膨大な音楽的テクニックと実際のフレーズを、あなたに提供するものです。それぞれの本には、伴奏用のプレイ・アロングCDが付属されているので、本に掲載されたさまざまなアイディアが、実際にバンドの中でどのようにサウンドするか、確認することができます。このシリーズの学習手順に従い、実践することによって、あなたは、さまざまなアーティストのジャズ言語をマスターするばかりか、あなた自身のオリジナル・サウンドを発展させることもできるのです。幸運を祈ります、このすばらしい音楽を練習し、マスターすることを楽しみましょう。

Corey Christiansen

本書は、あなたがクリフォード・ブラウン・スタイルのヴォキャブラリーを完成させるための、効果的かつ合理的なメソッドを提供するものです。本書に提示されている内容は私自身が学ぶ過程で用いてきたものであり、生徒たちに教えてきた経験からも、それらが非常に有効であると確信しています。このマテリアルを基に、根気よく、日々計画的に練習しましょう。自分の現状をよく理解し、一度に多くのことをやりすぎないようにしましょう。継続的な練習計画をたてることは、とても大切です。短い時間でも、的をしぼって毎日練習すれば、週に一度広い範囲を長時間練習するよりもはるかに上達します。すべてのことに共通することですが、本書の内容を学んで、自分の一部とするためには、それなりの時間と反復練習が必要です。私は、本書がアマチュアだけでなくプロフェッショナルのジャズ・プレイヤーにも有益で、やりがいのあるものだと確信しています。また、インプロヴィゼイションには基本となる言語をマスターすることが必要とされますが、それは本書や他の本に載っているものだけではないということも忘れないようにしましょう。本書に掲載しているラインと同じものを使い続けるのではなく、あなた自身でどんどん音楽の幅を広げていきましょう。そして常に音楽を楽しむということが一番大切です。

Kim Bock

エッセンシャル・ジャズ・ライン・シリーズ **クリフォード・ブラウン・スタイルの探究**には、**ギター**、**B♭**、**E♭**巻の日本語版以外に、**C**および**Bass Clef**がありますが、直輸入版のみのお取り扱いになります。詳しくはATNホームページ、または巻末広告をご覧ください。

著者について

Corey Christiansen

５歳でギターを始め、父親の *Mike Christiansen*（パフォーマー、ライター、ユタ大学の教育者）について同大学を卒業するまでギターを学ぶ。同大学在学中に、Outstanding Music Student Award、Outstanding Guitrist Award など多くの賞に輝く。ライオネル・ハンプトン・ジャズ・フェスティバルにおいては、Outstanding Big Band Guitarist を 1995 年に、Outstanding Solo Guitarist を 1995 年と 1996 年にそれぞれ受賞。

ジャズ・パフォーマンスの修士課程を学んでいた *Corey* は、著名なジャズ・ギターの教育家である *Jack Petersen* に師事するため南フロリダ大学に移り、指導助手としての勉強を始める。その後 1999 年にジャズ・パフォーマンスの修士課程を終了。同年退官した *Jack Petersen* の後を次ぐかたちで *Corey* はギター・インストラクターとなる。同大学で教えていた間、多くの生徒たちと演奏したり生徒たちによるグループを率いた。

現在 *Corey Christiansen* は、Mel Bay 社の上席ミュージック・エディター、クリニシャンを務めながら、精力的にライヴやレコーディングで活動中。ワシントン D.C.のスミソニアン・インスティチュート、イタリアのペルージャでのウンブリア・ジャズ・フェスティバル、クリアウォーター・ジャズ・フェスティバル、デイトナ・ビーチ・ジャズ・フェスティバル、セントルイス・ジャズ・フェスティバルなど全米や世界各地で演奏する。彼はまた、*Jimmy Bruno*、*John Pisano*、*Joe Negri*、*Willie Akins*、*Chuck Redd*、*Rob McConnel*、*Sid Jacobs*、*Jack Wilkins*、*Danny Gottlieb* などの優れたジャズ・アーティストたちともライヴやレコーディングで活動している。現在は Buscarino のギター、Clarus のアンプ、Raezer の Edge スピーカー・キャビネットなどとエンドーサーとしての契約を結んでいる。

Corey に関する最新情報はホームページ www.coreychristiansen.com にてチェックできる。

Kim Bock

photo by Martin Munch

デンマーク生まれ、ヨーロッパで広く演奏活動をした後 1994 年にアメリカへ渡る。合衆国内、ヨーロッパ、トルコ、南アフリカなどをツアーした後、現在はニューヨーク在住。

Kim は 1996 年にバークリー音楽大学を卒業した後、1998 年には南フロリダ大学で修士課程を終了。

2001 年３月からはトランペットの巨人である *Maynard Ferguson and His Big Bop Nouveau Band* のフィーチャリング・テナー・サキソフォン・プレイヤーとして全米ツアーなどで活躍中である。またツアーに出ていない時は彼自身の小グループを率いて、ここ何年かはニューヨーク近郊でも活動している。

これまでに、*Greenwich Blue*、*Dan McMillian Big Band*、*George Carroll*、*Bombed Out Cat*、*Sanlikol Group*、*Larry Camp*、*The Mars All-Star Big Band*、*Kenny Soderblom/Jack Peterson Big Band*、*Bill Evans Orchestra*、*Atlantic Wave Band* などへの参加がある。

Kim に関する最新情報はホームページ www.kimbock.com にてチェックできる。

Clifford Brown

クリフォード・ブラウン(1930～1956)は、1950年代における最も卓越したトランペット・プレイヤーの1人であり、彼の功績は今もなお演奏する楽器を問わず、多くのジャズ・ミュージシャンに多大な影響を与え続けています。

彼のミュージシャンとしてのキャリアは、短かったにも関わらず、彗星のごとく登場するやいなや、爆発的な勢いでジャズ界における評価は不動のものとなりました。*Tad Dameron*や*Art Blakey*など1950年代を代表する多くのミュージシャンと共演し、さらには*Lionel Hampton*とのヨーロッパ・ツアーによってクリフォード・ブラウンの名は世界中に知られることとなりました。そして1954年、傑出したドラマーとして知られる*Max Roach*と*Brown-Roach Quintet*という双頭コンボを結成し活動を始めますが、わずか2年後の1956年に不慮の事故で亡くなってしまいます。クリフォード・ブラウンの他に類を見ない卓越した演奏能力がまさに開花したといえるこのバンドは、当時最も影響力のあったハード・バップ・コンボの1つでした。

クリフォード・ブラウンの演奏スタイルは1940年代に*Charlie Parker*や*Dizzy Gillespie*が創り出したビバップ言語に根ざしたもので、明らかにこの2人から強い影響を受けています。さらにもう1つスタイル的に大事な要素として、クリフォード・ブラウンが崇拝し、また彼の助言者でもあった*Fats Navarro*(やはりすばらしいトランペットプレイヤーでしたが、彼も若くして亡くなっている)からの影響があります。

本書では、クリフォード・ブラウンがソロで用いたテクニックと同様に、さまざまなコードやコード・プログレッションの上で実際に彼が使ったライン(フレーズ)を多数提示しています。メジャーおよびマイナーのii-V-Iプログレッションはジャズ・スタンダードにおいて最もよく使われるコード・プログレッションで、本書に収録されているラインをさまざまなスタンダードのコード・プログレッションに当てはめて演奏することもできるでしょう。そのために本書の付属CDには多くのプレイ・アロング・トラック(1つのコードまたはコード・プログレッションだけをくり返すトラックと、サイクル・オブ4thでキーが移調していくトラック)が収録されており、まず1つのキーで練習してから12キーすべてをマスターするための練習ができるようになっています。

クリフォード・ブラウンはその非凡な才能によって、ビバップ・イディオム(語法)によるすばらしく発展的なラインと、それらを豊かでダイナミックで、常にスウィングするトーンで演奏するということに首尾一貫していました。クリフォード・ブラウンのような偉大なプレイヤーのヴォキャブラリーとスタイル的な特徴の両方を学ぶことは、インプロヴィゼイションに役立つ音楽的アイディアや表現力に富む手段を身につけることでしょう。本書を楽しんで学習し、あなたのインプロヴィゼイションに役立てましょう。

クリフォード・ブラウンとチャーリー・パーカー

本書に収録されている各チャプターの**ガイド・トーン**、**ビバップ・スケール**、**3rdから♭9thへ**、**アッパー・ストラクチャー／セカンダリー・アルペジオ**、**ターゲッティング**、および、クリフォード・ブラウン・スタイルの各マテリアルの内容は、クリフォード・ブラウンの音楽を理解するために非常に有効です。さらに彼が*Charlie Parker*からどのような影響を受けているのかも理解できるでしょう（ガイド・トーン、ビバップ・スケール、3rdから♭9thへ、アッパー・ストラクチャー／セカンダリー・アルペジオ、ターゲッティングの各チャプターは本シリーズの**チャーリー・パーカー・スタイルの探究**にも収録されている)。ビバップ・プレイヤーが用いる音楽言語の基礎を身につけるためには、各チャプターにおいて提示されている内容をしっかりと理解することが重要です。そしてクリフォード・ブラウンのソロを聴き、ラインを学びましょう。それによって、本書に提示される各要素やテクニックが実際の演奏でどのように使われているのかを認識できます。

ガイド・トーン

ガイド・トーンとは、次のコードに向かって導くようにハーモニーに動きを与える音で、通常コード・トーンの3rdと7thがそれにあたります。シンプルなii-V-Iプログレッションを例に、ガイド・トーンがどのように動いているのかを見てみましょう。ii-V-Iプログレッションでは、Dm7コードの7thであるC音はG7コードの3rdであるB音にハーフ・ステップで動き、Dm7コードの3rdであるF音はそのままG7コードの7th(下の譜例では1オクターヴ下)へと移行します。G7コードにおける2つのガイド・トーン(3rdのB音と7thのF音)間のインターヴァルはトライ・トーン(3全音)になりますが、このインターヴァルは強い不安定感を生み出すため、解決に向かって自然に動いていく性質をもっています。したがって、ドミナントVコード(G7)からトニックIコード(CMaj7)へ動くことによって解決するのです。この時G7コードの7thであるF音はCMaj7コードの3rdであるE音へ半音で解決し、G7コードの3rdであるB音はそのままCMaj7コードの7thへと移行します。

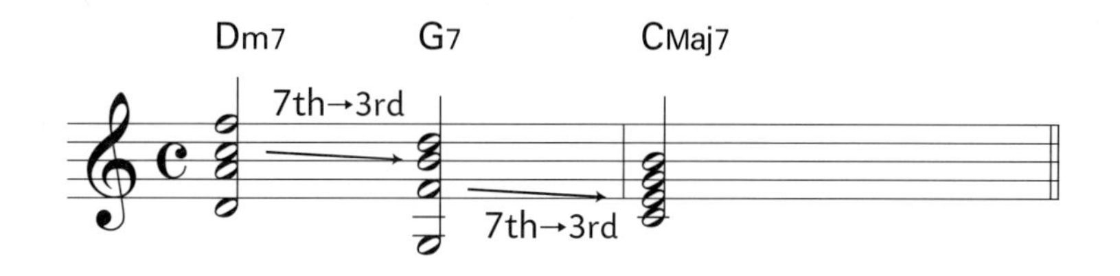

ii-V-Iプログレッションでインプロヴァイズする時に、よくガイド・トーンを使います。ガイド・トーンを使うことにより、ソロイストはそのコード・プログレッションが生み出すハーモニーの動きを強調することができるのです。以下の例は、ii-V-Iプログレッションにおける典型的なラインです。

ビバップ・スケール

ビバップ・スケールは、通常の７音スケールに半音のパッシング・トーンを加えた８音スケールで、８分音符でスケールを演奏した時に、コード・トーン(通常はスケールの 1st、3rd、5th、7th の音)をダウン・ビート(強拍)でプレイすることを可能にします。このテクニックは広くジャズ・ミュージシャンに使われています。ビバップ・スケールは、基本的に３種類あります。ミクソリディアン(ドミナント 7th)・ビバップ・スケールは、主にドミナント 7th コードに対して使われます。ドリアン・ビバップ・スケールは、主にマイナー 7th コードに、メジャー・ビバップ・スケールは、メジャー 6th かメジャー 7th コードに対して、それぞれ使われます。通常、スケールは７音のものが多いのですが、これらのビバップ・スケールは８音で構成されています。

ミクソリディアン・ビバップ・スケールは、普通のミクソリディアン・モードの♭7th とオクターヴ上のルートの間にもう１つ音を加えたものです。以下は G ミクソリディアン・ビバップ・スケールです。

ミクソリディアン・ビバップ・スケール

ドミナント 7th コード上で使用できる

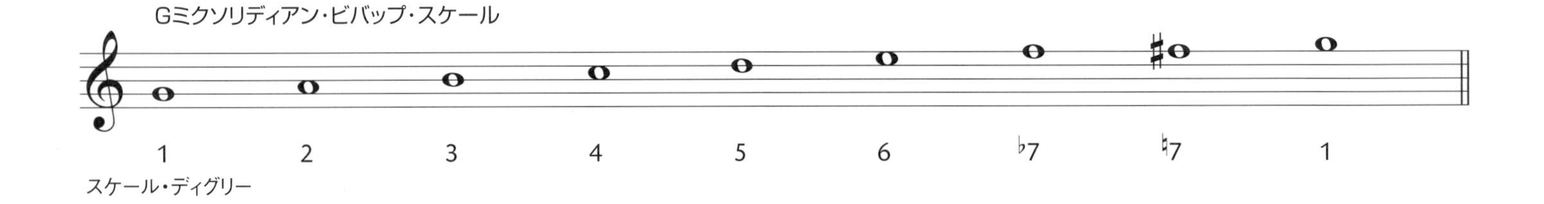

プレイヤーがダウン・ビート(強拍)上のコード・トーンからこの８音スケールを演奏し始めると、ドミナント 7th コードの各コード・トーンはダウン・ビートにきます。それは、ビバップ・スケールは８音スケールなので、８分音符でこのスケールを演奏するとちょうど４分音符４拍分の長さに収まるからです。

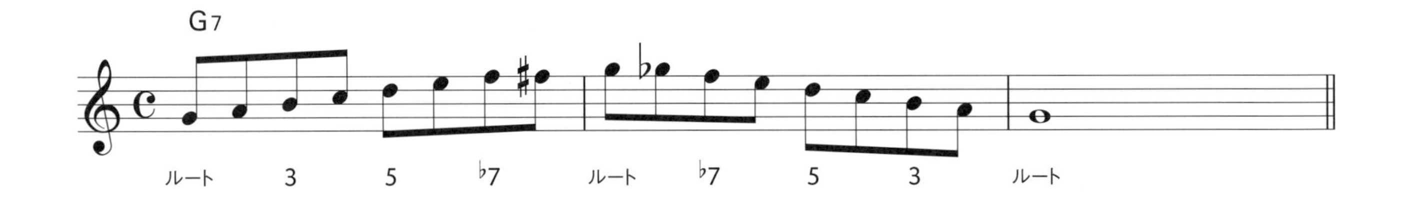

以下は、ドミナント・コードでインプロヴァイズした時に、どのようにこのスケールを使うのかを示した例です。

ミクソリディアン・ビバップ・スケールをiiマイナー・コードの上で使う

ii - V プログレッションの上で演奏する時に、ミクソリディアン・ビバップ・スケールは、V コード(ドミナント)に対しては完璧に機能します。しかも、V コードとii マイナー・コード、それぞれのコード・スケールはまったく同じ構成音からできています。C メジャー・キーの場合(Dm7 - G7)、各コードのコード・スケール、D ドリアンとG ミクソリディアンはともにまったく同じ7 音から構成されています。ミクソリディアン・ビバップ・スケールをV コードの時と同様に、ii マイナー・コードに使うこともよくあります(*Chaelie Parker* はこの方法をよく使いました。詳しくは**チャーリー・パーカー・スタイルの探究** p.7 を参照)。ii - V プログレッションを2つの別々なコードとしてではなく、ミクソリディアン・ビバップ・スケールを使うことができる、ひとかたまりのものとしてとらえているのです。

ミクソリディアン・ビバップ・スケールをii マイナー・コードの上で使うと、強拍には2つのコード・トーンしかこないということに注意しましょう。それでも演奏上問題はありません。そのサウンドはV コードのハーモニック・アンティシペーション(あるコード・サウンドが本来のタイミングより早く始まる)であると理解できます。

以下の2つの例はミクソリディアン・ビバップ・スケールをii - V プログレッションの上でどのように使うのかを示したものです。

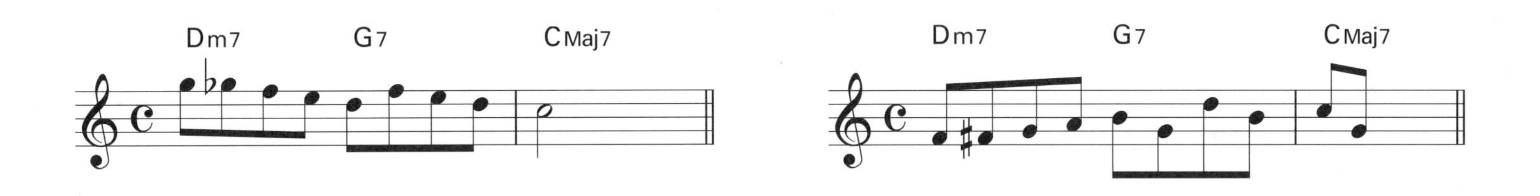

メジャー・ビバップ・スケール

メジャー 7th (6th) コード上で使用できる

メジャー・ビバップ・スケールは、通常のメジャー・スケールの5th と6th の間にもう1つ音を加えたものです。

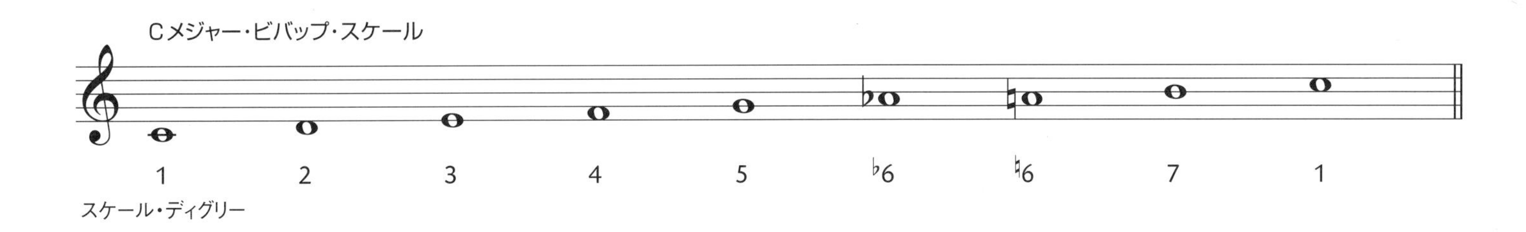

メジャー・ビバップ・スケールも、他のビバップ・スケールと同様に8音から成っており、8分音符で演奏すると4分音符4拍分の長さになります。メジャー 6th コードのコード・トーンからこの8音スケールを演奏すると、ダウン・ビートには各コード・トーンがくることになります。以下はC メジャー・ビバップ・スケールと、それが実際にどう使われているかを示した例です。

マイナー・ビバップ・スケール

マイナー7thコード上で使用できる

前ページで説明したように、ミクソリディアン・ビバップ・スケールは、ii-Vプログレッションのiiマイナー・コードとVコードの両方に使われることがありますが、iiマイナー・コードに対してマイナー・ビバップ・スケールを使うこともできます。

マイナー・ビバップ・スケールは、ドリアン・モードの♭7thとルートの間にもうひとつ音が増えたもので、以下はDマイナー・ビバップ・スケールです。

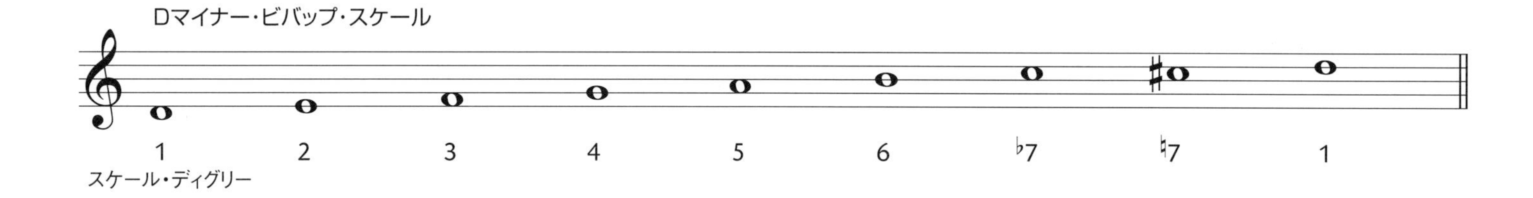

マイナー・ビバップ・スケールも8音スケールなので、8分音符で演奏すると4分音符4拍分の長さが必要になります。以下はこのスケールを、マイナー7thコードに対してどのように使うのかを示した例です。

これらのビバップ・スケールは、どのコード・トーン(メジャー・ビバップ・スケールでは、ルート、3rd、5th、6thをコード・トーンと想定する)から演奏し始めても、コード・トーンを規則的に強拍に並べることができます。そのため、どのような方向(上行や下行)に動く場合も、コード・トーンから始めることで、常にコード・トーンを強拍に置き続けることができます。

3rdから♭9thへ

3rdから♭9thへという動きは、*Charlie Parker*が最初に使い始めたドミナント7thコード上で使用するテクニックです。多くの偉大なジャズ・ミュージシャンたちは、このサウンドに注目し、頻繁に使うようになりました。G7コードを例に説明すると、3rdの音はBで、♭9thの音はA♭です。3rdから♭9thへ動く方法はたくさんあります。もっとも分かりやすい方法は3rdから♭9thへ一気に跳ぶ方法でしょう。この場合、3rdから♭9thに上行するのと、3rdから♭9thに下行する方法があります。以下はその例です。

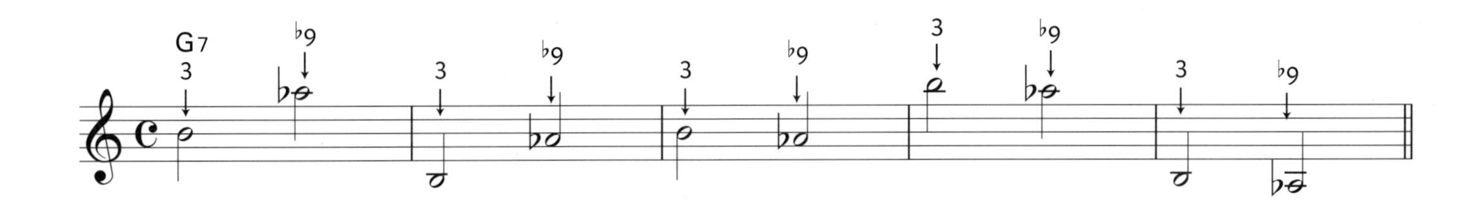

もう1つの方法は、ドミナント・コードのコード・トーンの3rd、5th、7th、♭9thを使うか、3rdから始まるディミニッシュ・アルペジオを使う方法です。このアルペジオは必ずしも同じ方向に進む必要はありません。実際にさまざまな方向に進んだ方が効果的です。

♭9thの音はテンションの効いたサウンドを創る音です。半音下がる形で自然に解決しますが、通常このテクニックはドミナントVコードがトニックIコードに動く時(もしくはその少し前)に使われます。

以下のラインは、ii-V-Iプログレッションの中で、このテクニックがどのように使われるのかを示した例です。♭9thが解決する動きはトニックIコードの1または2拍前でも起こるところに注意しましょう。

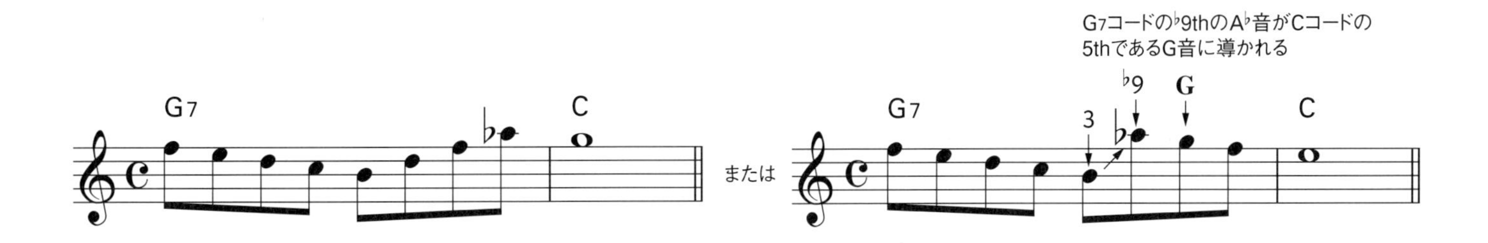

これらのテクニックを12のすべてのキーで練習することが重要です。この練習をすることによって、あなたがインプロヴァイズする時に、このマテリアル(素材)を自由に使えるようになります。

コードのアッパー・ストラクチャー

セカンダリー・アルペジオ

コードのアッパー・ストラクチャーとは、コード・トーンの7thより上に構成される音を指しています。例えば、CMaj7コードは、ルート(C)、メジャー3rd (E)、パーフェクト5th (G)、メジャー7th (B)で成り立っており、これらの音はCメジャー・スケールから引き出されています。そしてCMaj7コードのアッパー・ストラクチャー・コード・トーン(エクステンション)は、9th (D)、11th (F)、13th (A)の3音になります。以下はメジャー・スケールとコードおよびアッパー・ストラクチャーの関係を示したものです。

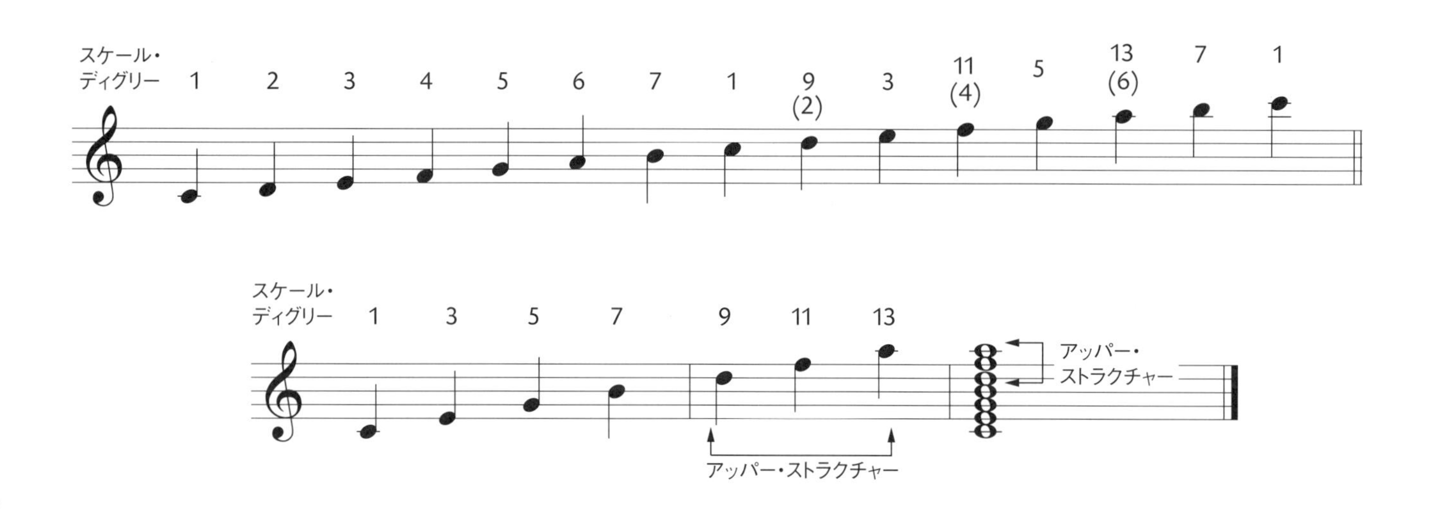

アッパー・ストラクチャーを学ぶにあたり、まず、あらゆるコード(メジャー、マイナー、ドミナント7th)の3rdから9thまでのアルペジオを演奏してみましょう。以下はDm7を使った例です。

上の例は、FMaj7のコード・トーンと同じ音が含まれている点に注目しましょう。アッパー・ストラクチュアーを使うと、元のコードとは別のコード・サウンドを創り出すことができます。そのため、このテクニックを説明する場合には、しばしばセカンダリー(第2の)・アルペジオという言葉が使われます。

以下は、基本的なii-V-Iプログレッションにおいて、セカンダリー・アルペジオが使われている例です。

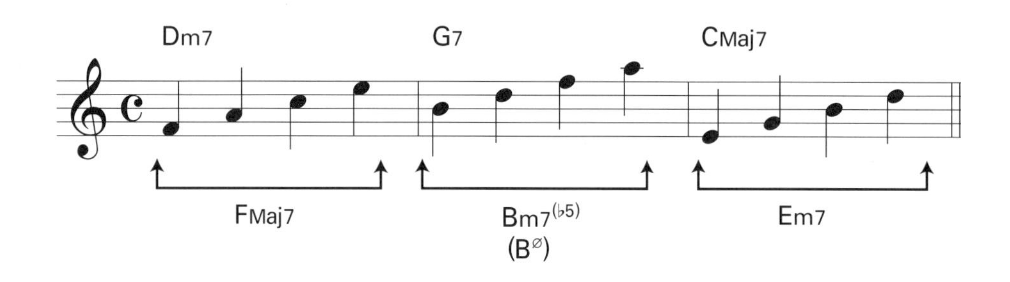

ターゲッティング

ターゲッティングとは、スケール・ノートやクロマティック・ノートを使ってコード・トーンへアプローチする方法です。これには非常に多くの方法がありますが、一番簡単なものは半音上または下からコード・トーンに解決する方法でしょう。この例を以下に示してありますが、C メジャーのコード・トーンだけを使っているということを認識することが重要です。このテクニックをあらゆるコード(マイナー、ディミニッシュ、他)に対して使えるようにしておきましょう。以下の例ではコード・トーンがダウン・ビート上にくるようにアレンジしてあります。

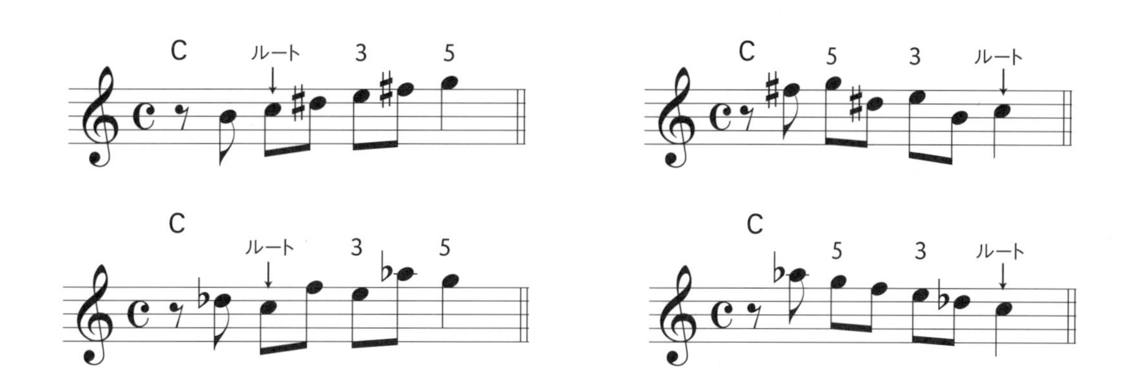

次は、**エンクロージャー**(囲い込む)と呼ばれるタイプのターゲッティングの使い方を学習します。エンクロージャーとは、スケール・ノートまたはクロマッティック・ノートを使って、文字どおりにコード・トーンを上下から囲い込む(挟む)ことをいいます。各例におけるノン・コード・トーンの順序は逆にすることもできます。

最初のタイプは、上からスケール・ノート、下からクロマティック・ノートでエンクロージャーするパターンです。

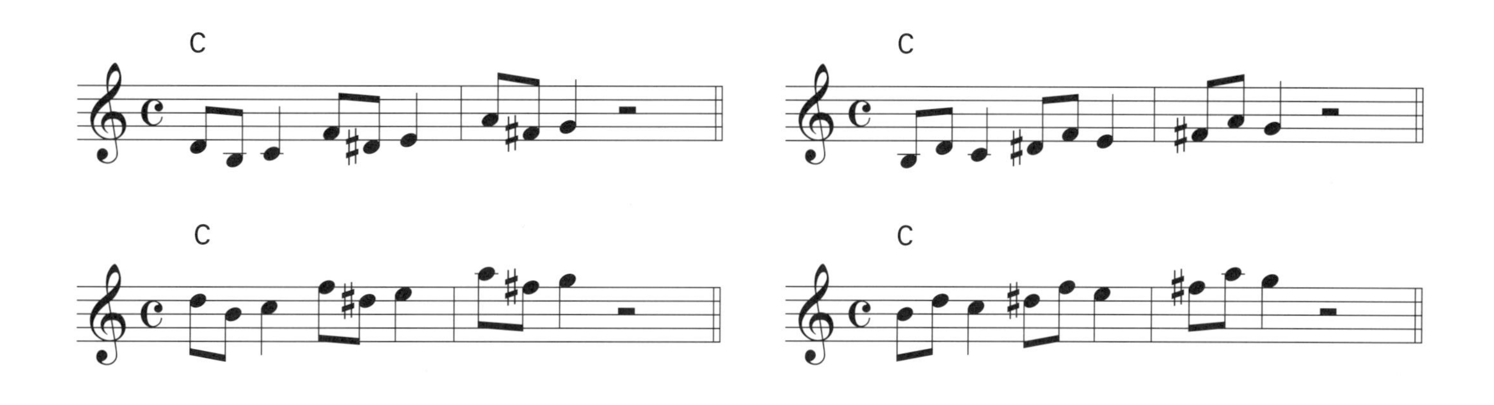

次のタイプは、下からスケール・ノート、上からクロマティック・ノートでエンクロージャーするパターンです。

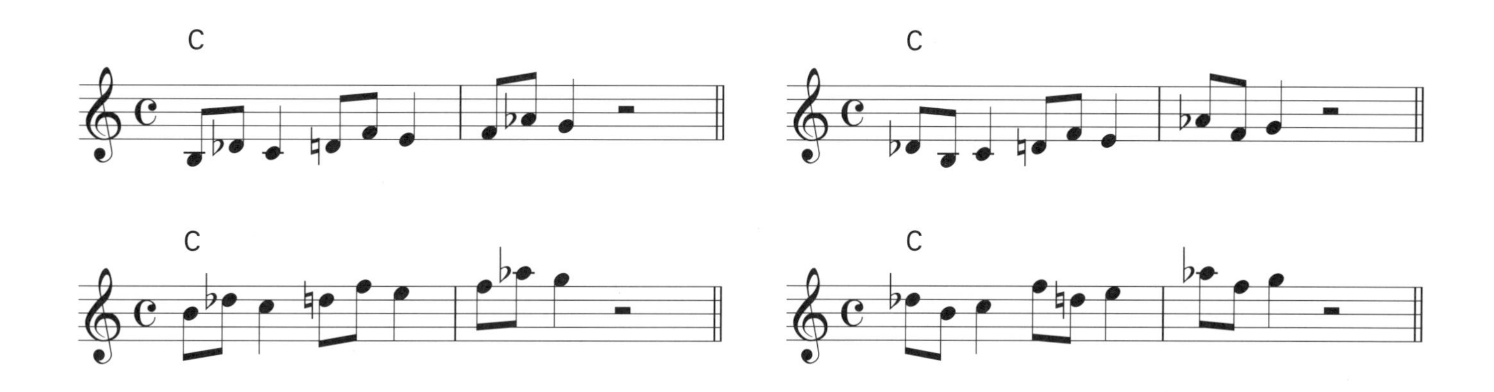

３音を使ったエンクロージャーでも、やはりスケール・ノートとクロマティック・ノートを組み合わせてコード・トーンの上下を囲い込むようにアプローチします。以下は、C メジャー・コードのルートに対してアプローチした例です。他のコード・トーンに対してもこのコンセプトを使ってみましょう。

スケール・ノートとクロマティック・ノートを組み合わせてコード・トーンにアプローチすることで、インプロヴァイズによるラインの組み立て方法は無限に広がります。このテクニックを使って、オリジナルのラインをたくさん創ってみましょう。

以下のラインは、ターゲッティング・テクニックをどのように使ったらよいかを示す模範例です。

オーグメント・ドミナント

クリフォード・ブラウンは、ii - V - I プログレッション上で演奏する時に、ドミナント・コードに対してオーグメント 5th（スケールの５度の音を半音上げる）を使うことがあります。ドミナント・コードをわずかに変化させることよって、効果的な緊張感が生まれ、あとに続くトニック I コードでそれを緩和し、解決します。以下は、クリフォード・ブラウン・スタイルにおいて、このテクニックを使ったラインの例です。

クリフォード・ブラウン・スタイル

クリフォード・ブラウンのような、偉大なジャズ・ミュージシャンについて学ぼうとする時には、彼のヴォキャブラリー(音使い)だけではなく、どのように演奏したのかということをしっかり注目することが必要です。大きな絵に例えるならば、１つひとつの音や言語などは、全体を構成する一部分にすぎません。ある音を演奏する時、そのアーティキュレーションやフレージングの使用によっては、音楽全体に与える効果がまったく異なるものになるでしょう。つまり、それが音楽に生命を吹き込むということなのです。

クリフォード・ブラウンはさまざまなテクニックを用いて、表現力豊かな演奏をしていました。従って、彼のスタイルと同化するために、クリフォード・ブラウンのレコーディングのソロを注意深く聴くことが必須です。

クリフォード・ブラウンのソロは常にとてもスウィングしていました。それはタイムの正確さもありますが、彼のアーティキュレーションやフレージングによるところも大きいといえるでしょう。

クリフォード・ブラウンはクリアで強い(パーカッシヴともいえるほどの)タンギングや、ゴースト・ノート(飲み込むような表情の音)を使うことで、フレーズのある音を際立たせたり、ダイナミクスに変化をつけたりします。彼はフレーズの中のハイ・ノートにアクセントをつけますし、アップ・テンポのラインにおける連符でさえタンギングが可能な並外れたテクニックは、彼のスタイルを象徴するものであり、彼の音楽はよく響くスウィングするものにしています。

クリフォード・ブラウンはさまざまな装飾を使いました。彼が３連符、グレース・ノート、トリル、ターンなどをどのように使用しているかに注目しましょう。

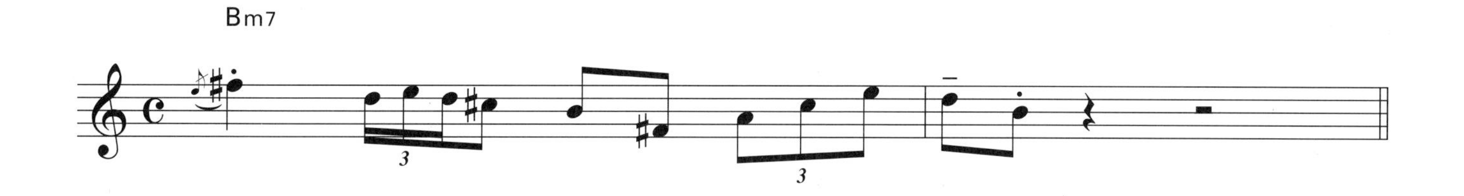

彼は非常に長い、しかも味わいのあるライン(しばしばいくつものコード・チェンジにまたがる)を創る卓越した能力の持ち主でした。彼は、フレーズの中で自由自在にメロディック・リズム(さまざまな音符、休符を組み合わせて創るリズム)を変化させることが、インプロヴィゼイション全体にインパクトを与えています。フレーズを見てみると、その中に４分音符、８分音符、16分音符、３連符のすべてを用いることがよくあります。

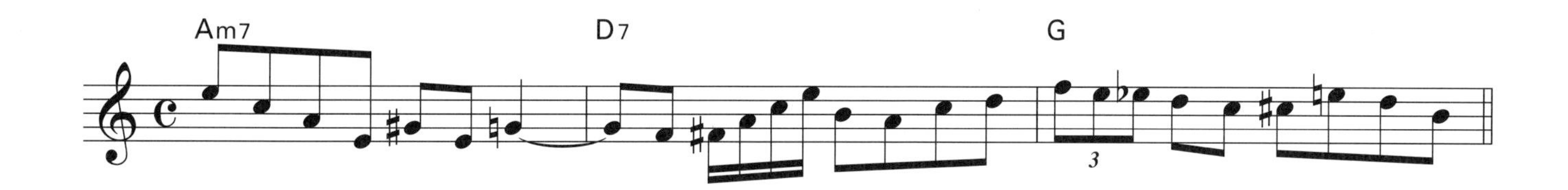

クリフォード・ブラウンは楽器の音域を広く使用し、それによってラインの中でも広いインターヴァルを演奏していました。１つのフレーズの中で、５度、６度、７度、あるいは１オクターヴというインターヴァルで上下することさえめずらしいことではありません。

クリフォード・ブラウンのスタイルは、*Lee Morgan*、*Freddie Hubbard*、*Booker Little* など多くの偉大なジャズ・ミュージシャンにその影響が広く及んでいます。余裕のある演奏、非のうちどころがない完璧なテクニック、楽器の最低音域から最高音域まで、どの*レジスターでも変わらないクオリティなどは、高度な音楽的才能を象徴しています。

リスニングこそ最善の方法なのです。インスピレーションを得るだけだなく、マスターするべき学習課題の参考のために、音楽を聴いて聴いて聴きまくりましょう。リスニングに代わるものはありません。

* registar：音域の意。音域に相当するものにレジスター(register)とレンジ(range)があるが、レンジは特定の楽器または声が出し得る音の限界。レジスターはレンジの中の特定の音域を意味する。ただし、これらは混同して用いられることもある。

このチャプターでは、ジョン・コルトレーンのスタイルをマスターするためにまずひとつのラインを選んで練習を始めましょう。プレイ・アロングCDのTrack 2に合わせて与えられたキーで練習してから、サークル・オブ4th（４度上行／５度下行）に沿って移調するプレイ・アロングCDのTrack 3を使って12のすべてのキーで演奏できるように練習しましょう。マイナー・コードのラインとドミナント7thコードのラインを組み合わせることにより、ii-V-Iプログレッションの上で使うことができる膨大な量の組み合わせパターンを創ることができます。メジャーおよびマイナーのii-V-Iプログレッションはジャズにおいてもっともよく出てくるコード・プログレッションなので、12のキーすべてでインプロヴァイジングできるようにすることが重要です。また、これらのラインをオクターヴを変えて練習することも必要です。

マイナー・コード・マテリアル

すべての譜例は一般的な4/4拍子で記譜されています。

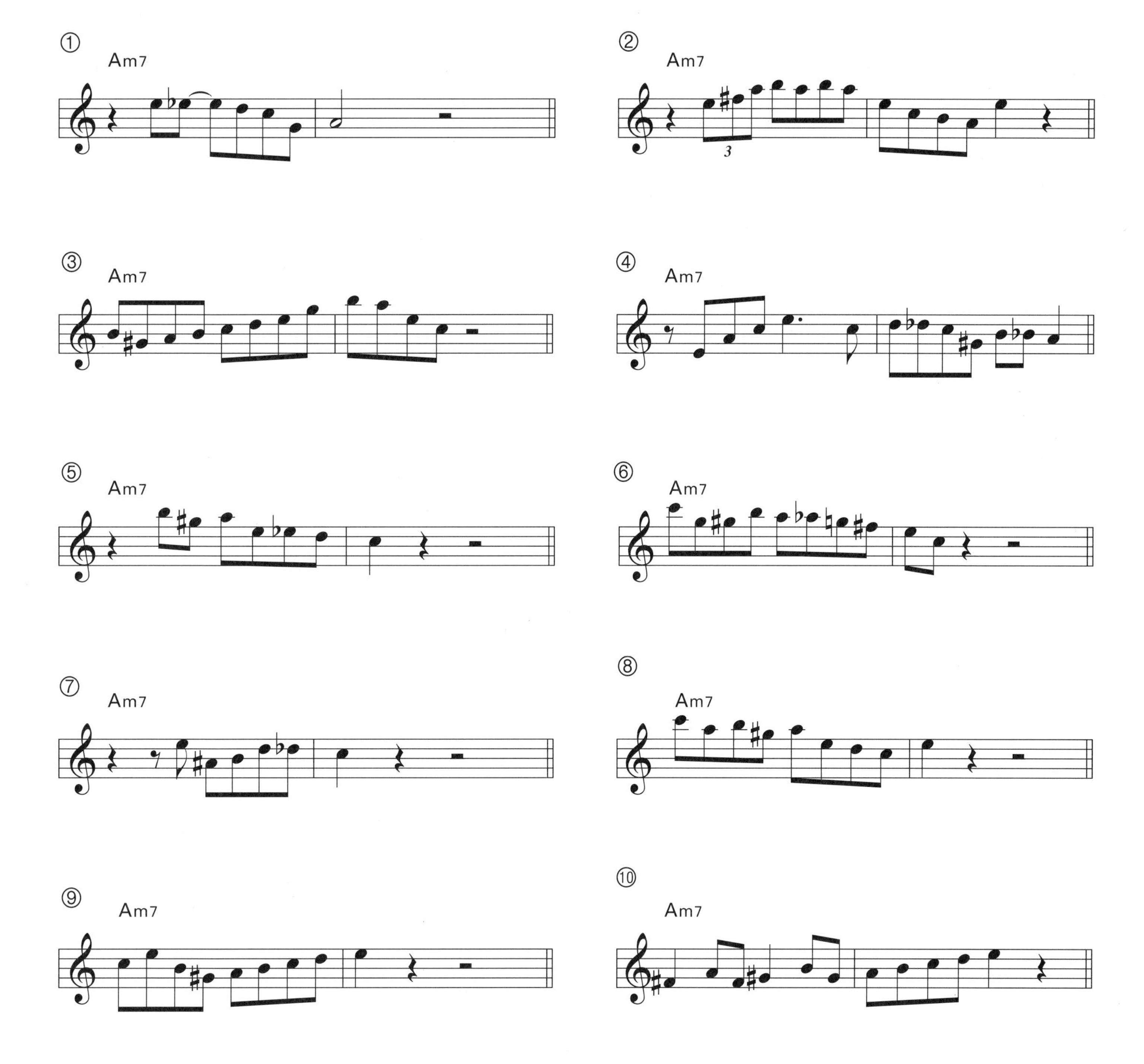

例題の音域があなたの楽器に合わない場合は、オクターヴを変えて練習しましょう。

⑪
Am7
⑫
Am7
⑬
Am7
⑭
Am7
⑮
Am7
⑯
Am7
⑰
Am7
3
⑱
Am7
⑲
Am7
⑳
Am7
㉑
Am7
㉒
Am7
3
3
㉓
Am7
㉔
Am7
㉕
Am7
㉖
Am7

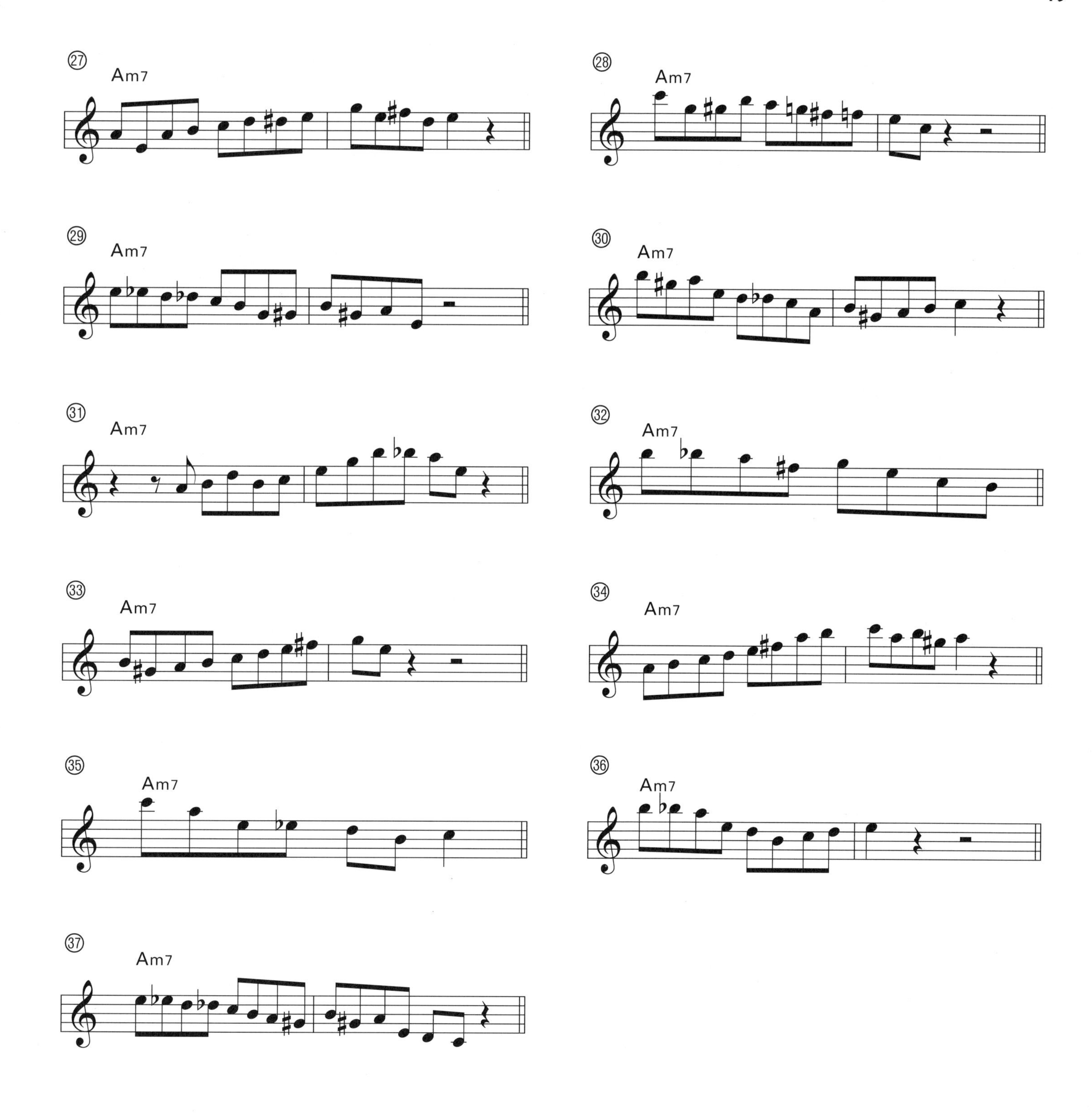

㉗
Am7
㉘
Am7
㉙
Am7
㉚
Am7
㉛
Am7
㉜
Am7
㉝
Am7
㉞
Am7
㉟
Am7
㊱
Am7
㊲
Am7

次のハーモニック・ヴァンプを使って、これまでに学習したマイナー7thコードのラインをプレイ・アロングCDに合わせて練習しましょう。

マイナー・コード・ヴァンプ

Track 3のリズム・トラックを使って、サークル・オブ4thに沿って移調する練習をしましょう。この練習は、ラインを12のキーすべてで確実に習得できます。

3
CD track

4度で移動するマイナー・コードのラインの練習

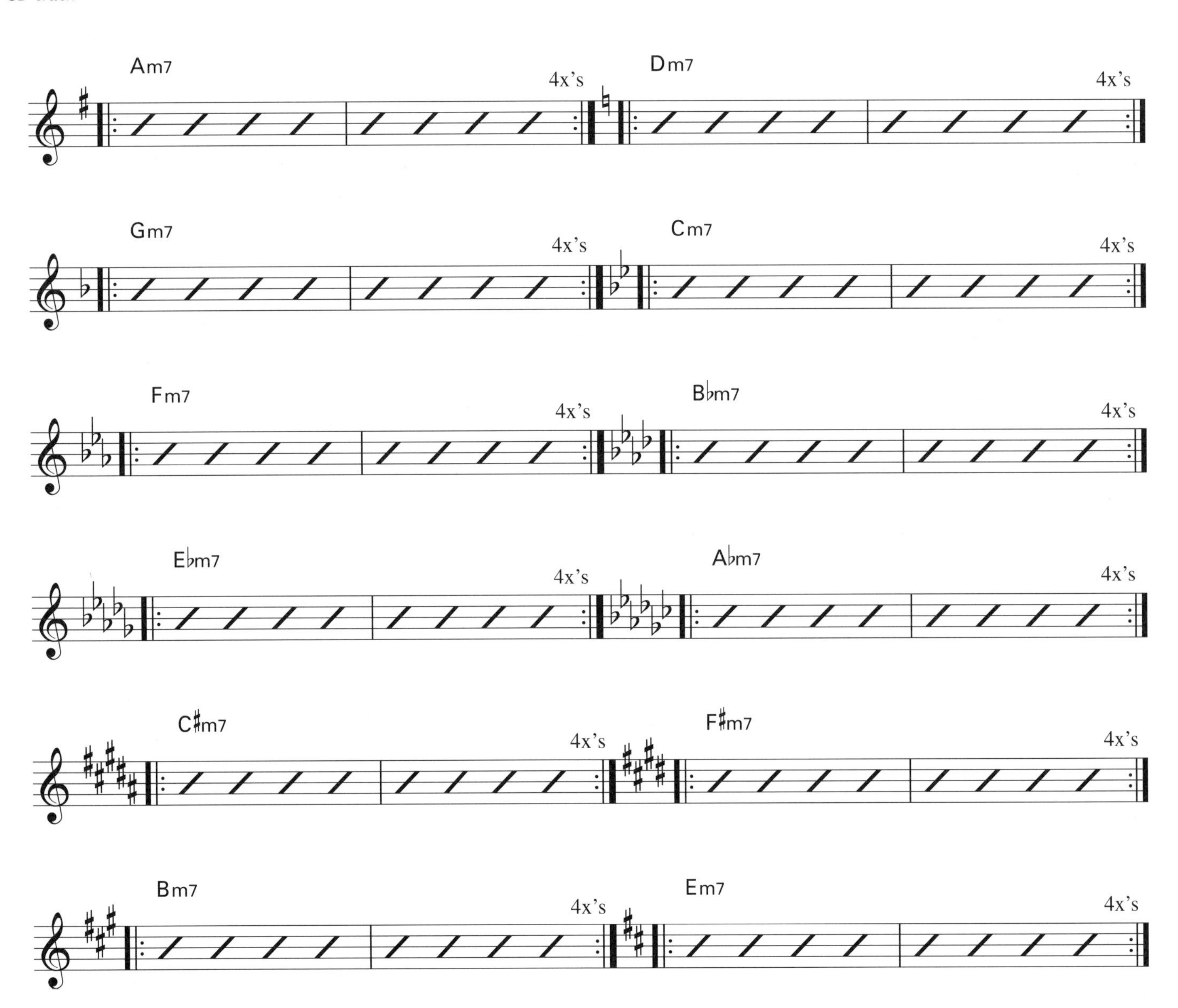

ドミナント7thコード(V)・マテリアル

すべての譜例は一般的な４/４拍子で記譜されています。

⑮
D7
⑯
D7
⑰
D7
⑱
D7
⑲
D7
⑳
D7
㉑
D7
㉒
D7
㉓
D7
㉔
D7
㉕
D7
㉖
D7
㉗
D7
㉘
D7
㉙
D7
㉚
D7

31
D7
32
D7
33
D7
34
D7
35
D7
36
D7

次のハーモニック・ヴァンプを使って、これまでに学習したドミナント7th コードのラインをプレイ・アロング CD に合わせて練習しましょう。

ドミナント 7th ヴァンプ

Track 5 のリズム・トラックを使って、サークル・オブ 4th に沿って移調する練習をしましょう。この練習は、ラインを 12 のキーすべてで確実に習得できます。

5
CD track

4 度で移動するドミナント 7th コードのラインの練習

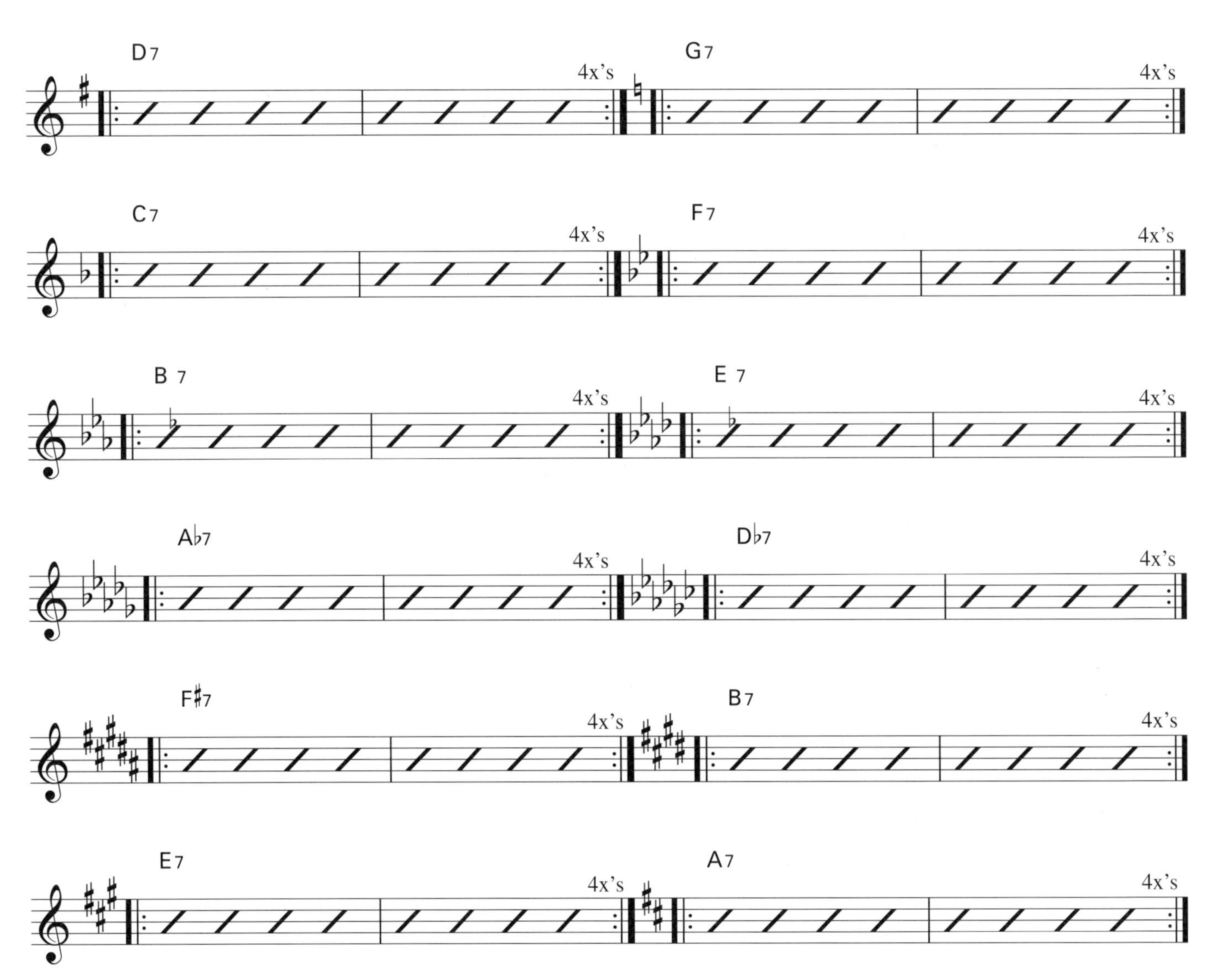

1小節のii-V(ショートii-V)・マテリアル

すべての譜例は一般的な4/4拍子で記譜されています。

⑮
Am7
D7
(G)
⑯
Am7
D7
(G)
⑰
Am7
D7
(G)
⑱
Am7
D7
⑲
Am7
D7
(G)
⑳
Am7
D7
(G)
㉑
Am7
D7
(G)
㉒
Am7
D7
(G)
㉓
Am7
D7
(G)
㉔
Am7
D7
(G)
㉕
Am7
D7
(G)
㉖
Am7
D7
(G)
㉗
Am7
D7
(G)
㉘
Am7
D7
(G)
初めの2拍のモティーフが半音下行するシークエンス
㉙
Am7
D7
(G)
㉚
Am7
D7
(G)

㉛
Am7
D7
3
(G)
㉜
Am7
D7
(G)
㉝
Am7
D7
(G)
㉞
Am7
D7
(G)
㉟
Am7
D7
(G)
㊱
Am7
D7
(G)
㊲
Am7
D7
(G)

次のハーモニック・ヴァンプを使って、これまでに学習した１小節のii-V（ショートii-V)のラインをプレイ・アロング CD に合わせて練習しましょう。

CD track

ショートii-V ヴァンプ

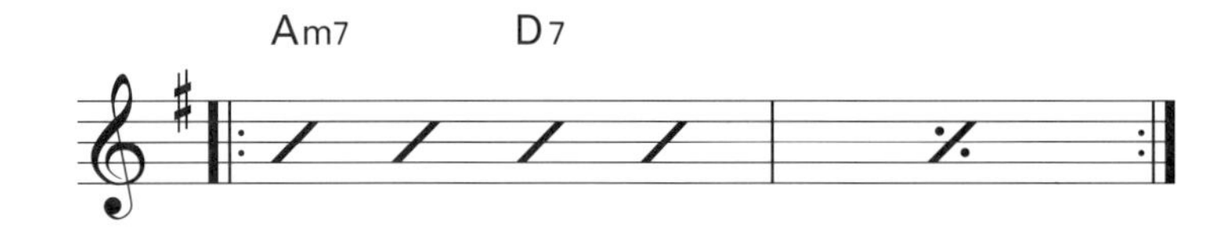

Track 7のリズム・トラックを使って、サークル・オブ4th に沿って移調する練習をしましょう。この練習は、ラインを12のキーすべてで確実に習得できます。

7
CD track

４度で移動するショートii-V のラインの練習

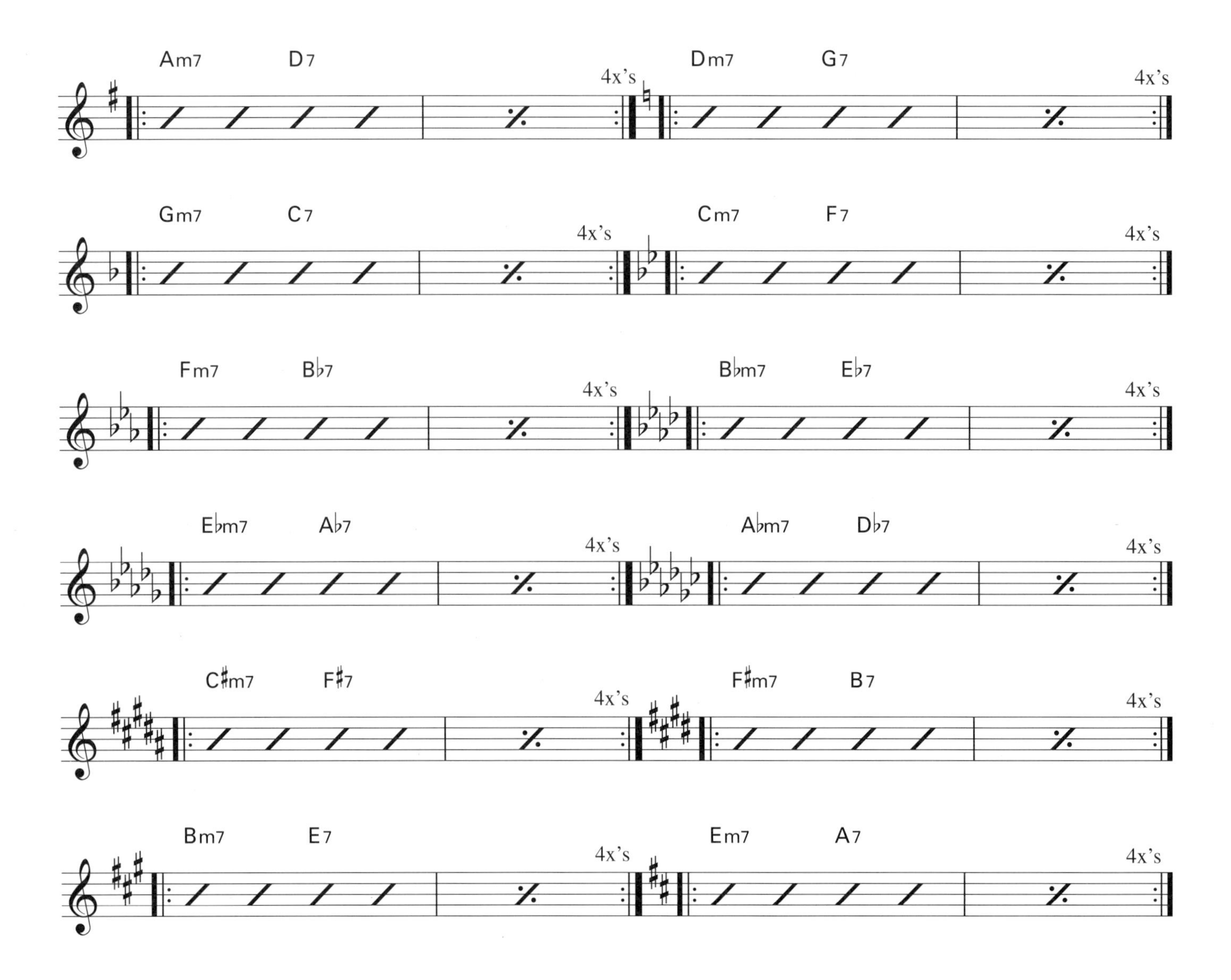

2小節のii-V(ロングii-V)・マテリアル

すべての譜例は一般的な4/4拍子で記譜されています。

⑩
Am7
D7
(G)
⑪
Am7
D7
(G)
⑫
Am7
D7
(G)
⑬
Am7
D7
(G)
⑭
Am7
D7
(G)
⑮
Am7
D7
(G)
⑯
Am7
D7
(G)
⑰
Am7
D7
(G)
⑱
Am7
D7
(G)
⑲
Am7
D7
(G)
⑳
Am7
D7
(G)

㉑
Am7
D7
(G)
3
㉒
Am7
D7
(G)
3
㉓
Am7
D7
(G)
㉔
Am7
D7
(G)
3
㉕
Am7
D7
(G)
㉖
Am7
D7
(G)
㉗
Am7
D7
(G)
㉘
Am7
D7
(G)
㉙
Am7
D7
(G)
3
㉚
Am7
D7
(G)
3
3
3

31
Am7
D7
(G)
32
Am7
D7
(G)
3
33
Am7
D7
(G)
34
Am7
D7
(G)
35
Am7
D7
(G)
36
Am7
D7
(G)
37
Am7
D7
(G)
38
Am7
D7
(G)
39
Am7
D7
(G)
40
Am7
D7
(G)

次のハーモニック・ヴァンプを使って、これまでに学習した2小節のii-V（ロングii-V）のラインをプレイ・アロングCDに合わせて練習しましょう。

ロングii-V ヴァンプ

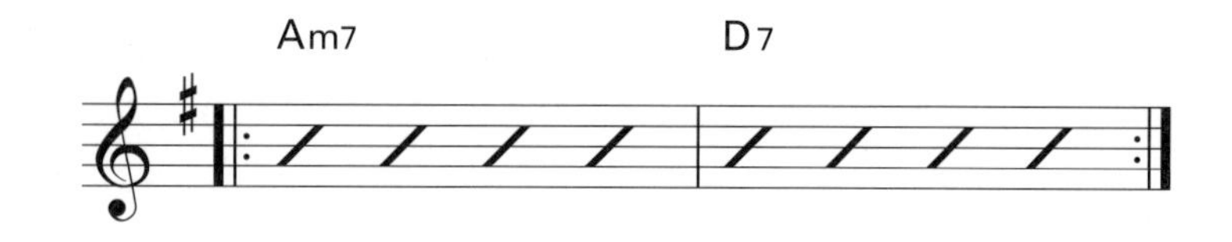

Track 9のリズム・トラックを使って、サークル・オブ4thに沿って移調する練習をしましょう。この練習は、ラインを12のキーすべてで確実に習得できます。

9
CD track

4度で移動するロングii-Vのラインの練習

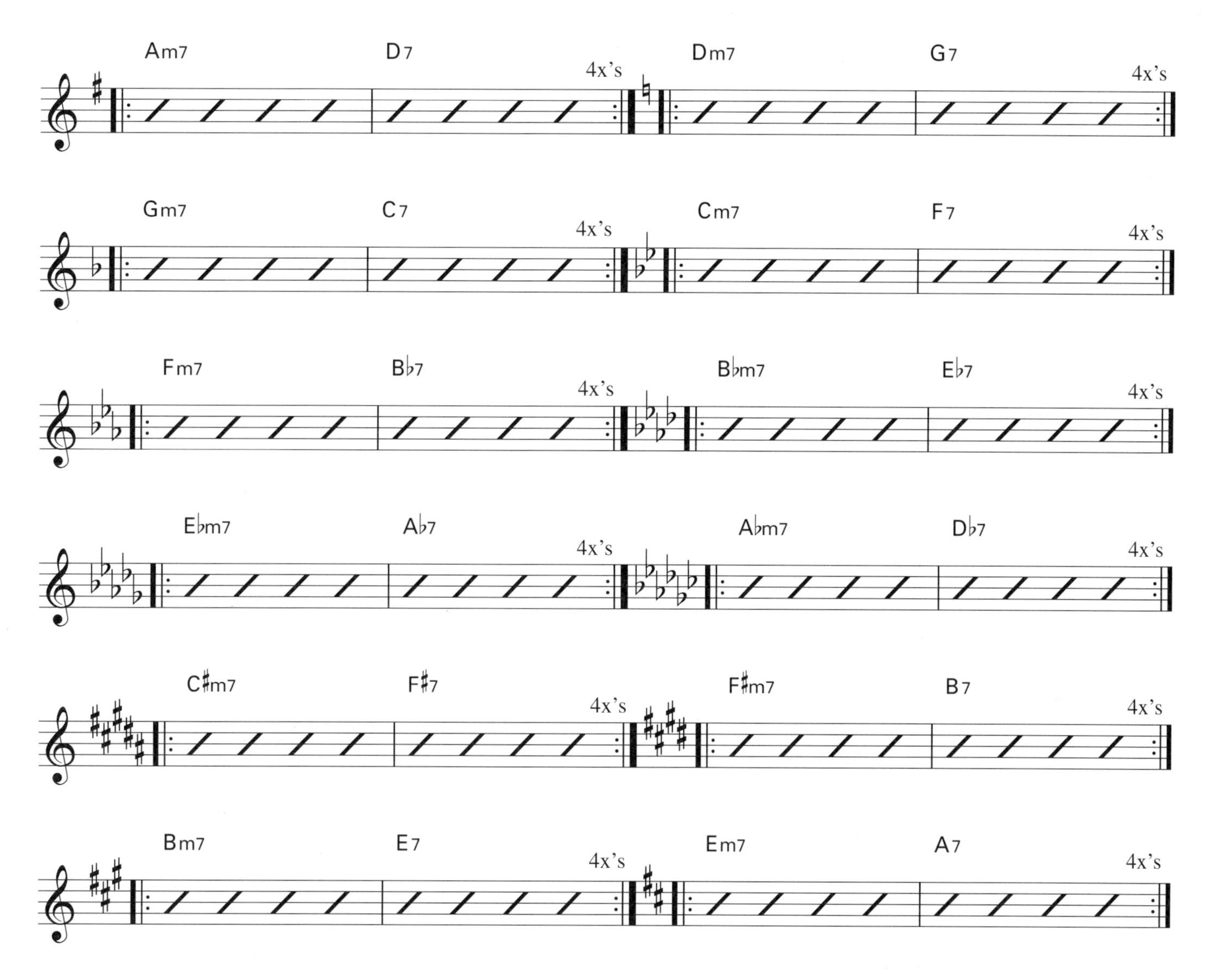

メジャー・コード(I)・マテリアル

すべての譜例は一般的な4/4拍子で記譜されています。

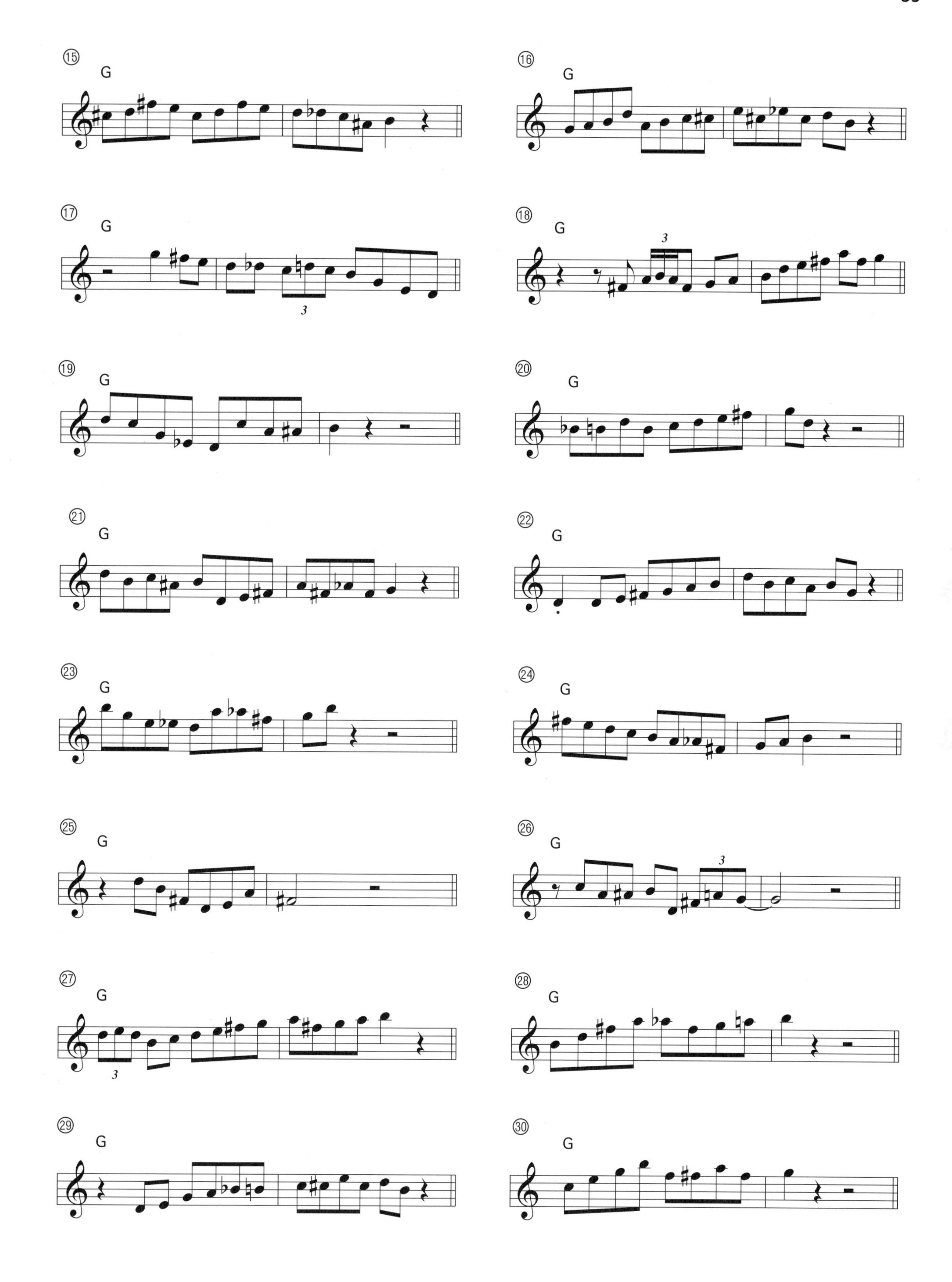
⑮
G
⑯
G
⑰
G
3
⑱
G
3
⑲
G
⑳
G
㉑
G
㉒
G
㉓
G
㉔
G
㉕
G
㉖
G
3
㉗
G
3
㉘
G
㉙
G
㉚
G

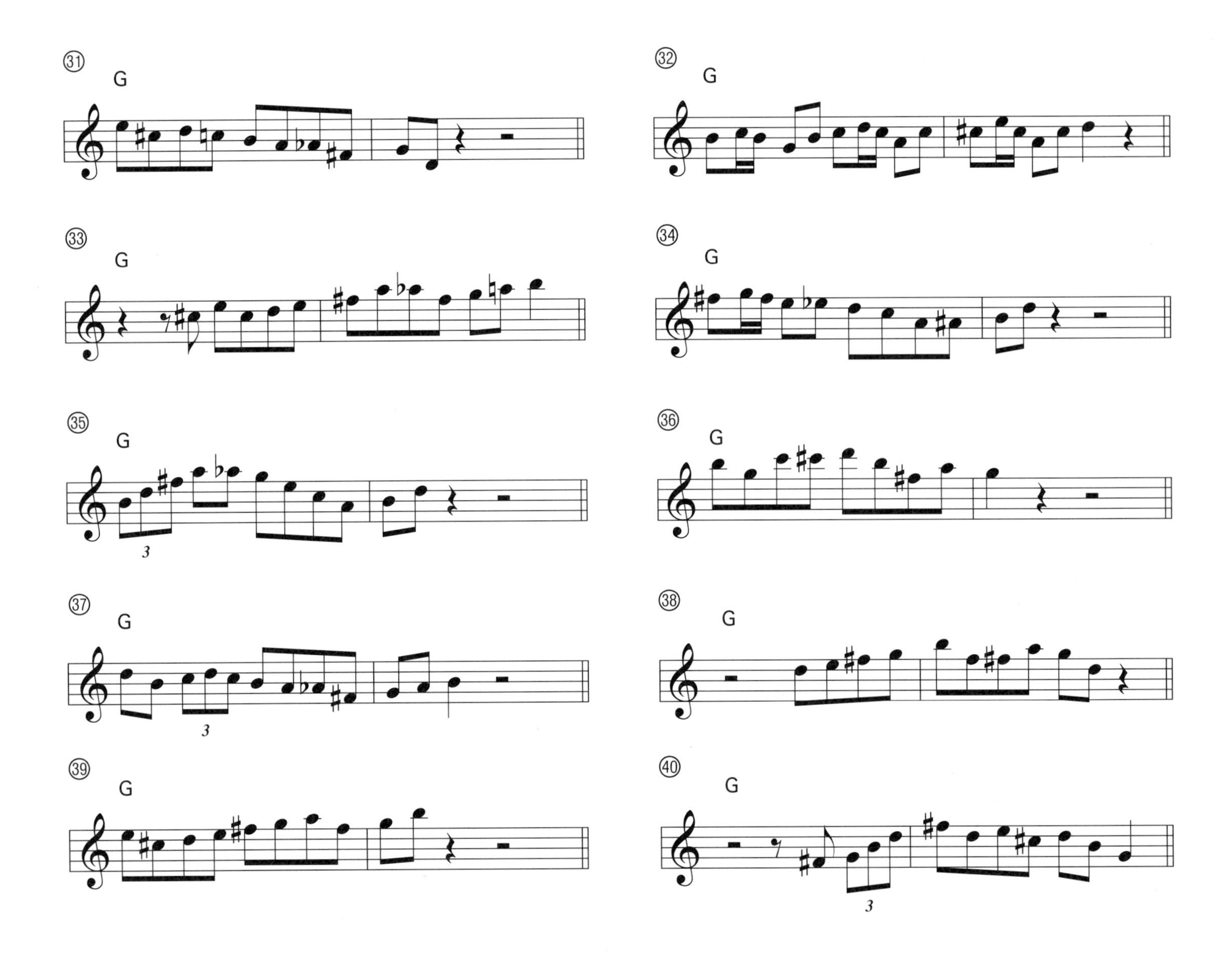

㉛
G
㉜
G
㉝
G
㉞
G
㉟
G
3
㊱
G
㊲
G
3
㊳
G
㊴
G
㊵
G
3

次のハーモニック・ヴァンプを使って、これまでに学習したメジャー・コードのラインをプレイ・アロングCDに合わせて練習しましょう。

メジャー・ヴァンプ

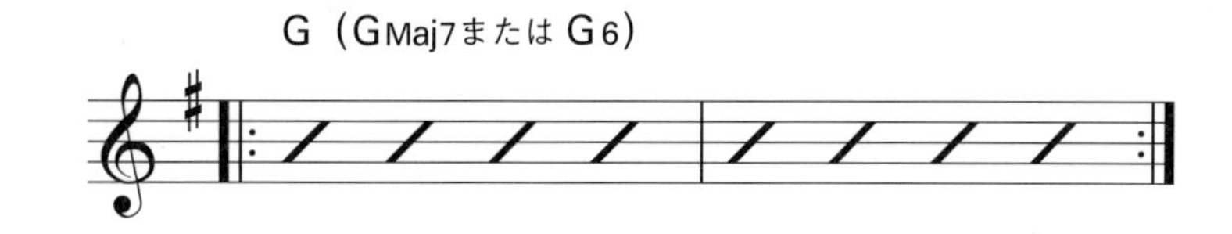

Track 11 のリズム・トラックを使って、サークル・オブ 4th に沿って移調する練習をしましょう。この練習は、ラインを 12 のキーすべてで確実に習得できます。

4度で移動するメジャー・コードのラインの練習

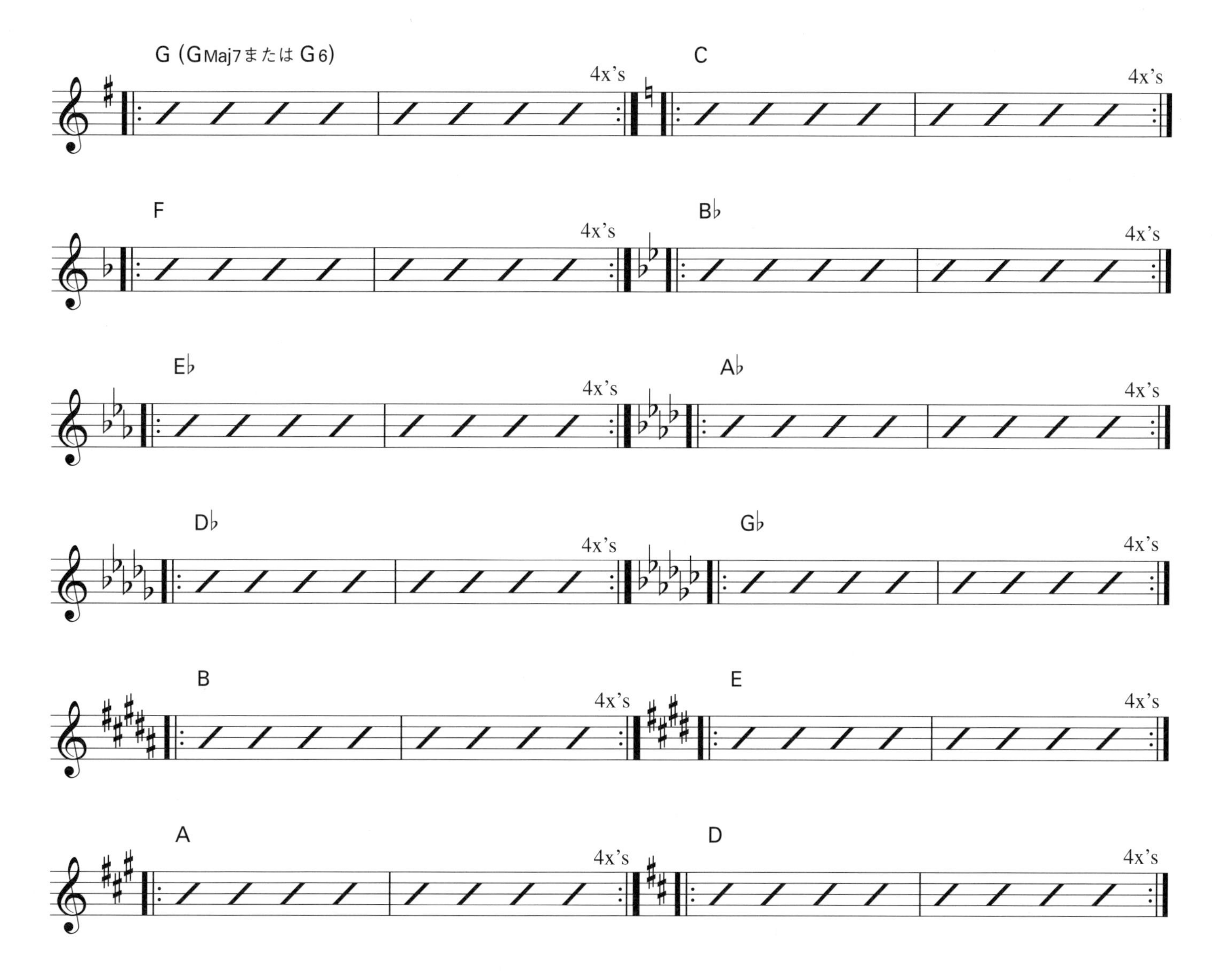

マイナーii-V・マテリアル

すべての譜例は一般的な4／4拍子で記譜されています。

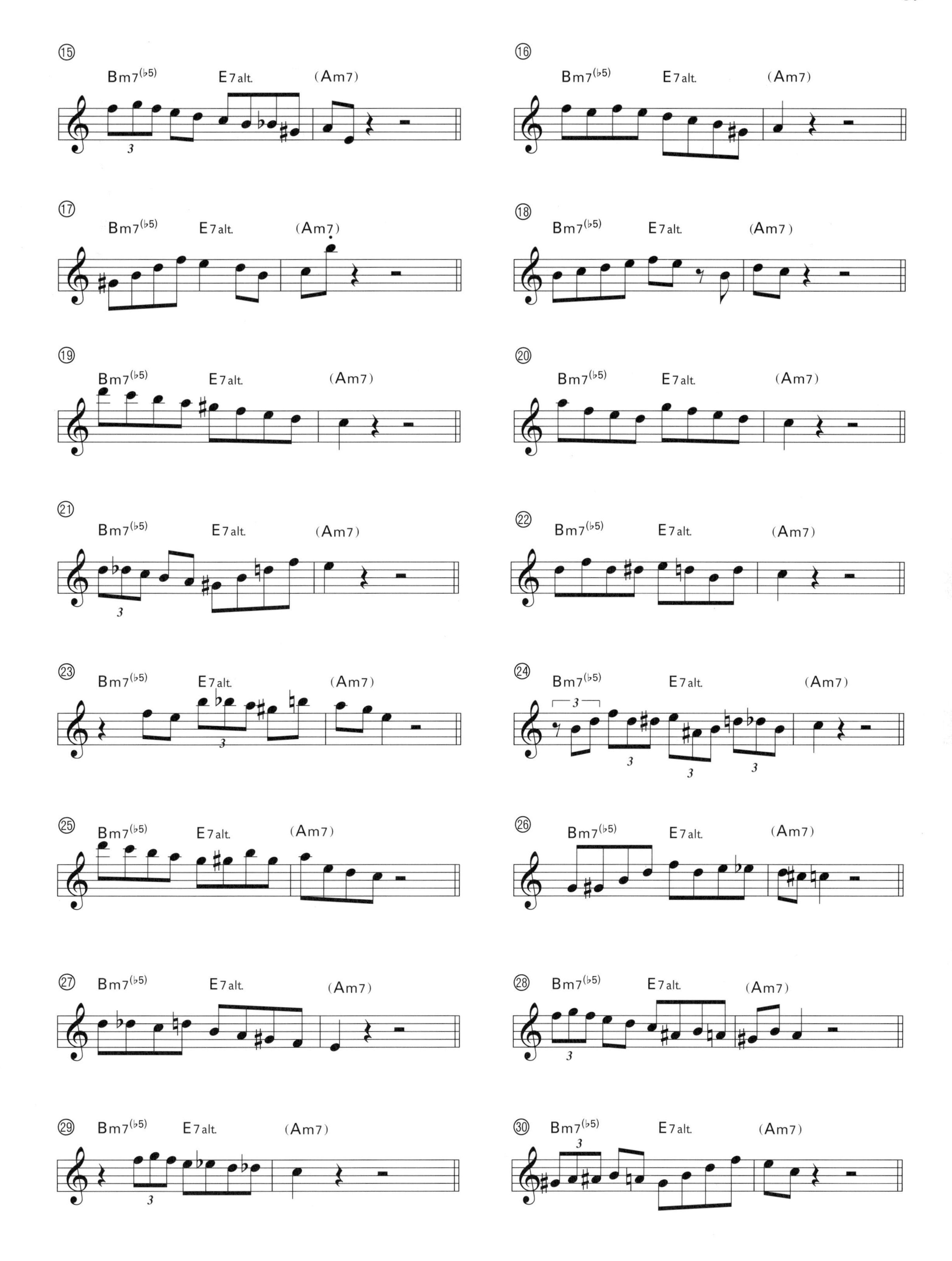
⑮
Bm7(♭5) E7alt. (Am7)
3
⑯
Bm7(♭5) E7alt. (Am7)
⑰
Bm7(♭5) E7alt. (Am7)
⑱
Bm7(♭5) E7alt. (Am7)
⑲
Bm7(♭5) E7alt. (Am7)
⑳
Bm7(♭5) E7alt. (Am7)
㉑
Bm7(♭5) E7alt. (Am7)
3
㉒
Bm7(♭5) E7alt. (Am7)
㉓
Bm7(♭5) E7alt. (Am7)
3
㉔
Bm7(♭5) E7alt. (Am7)
3 3 3 3
㉕
Bm7(♭5) E7alt. (Am7)
㉖
Bm7(♭5) E7alt. (Am7)
㉗
Bm7(♭5) E7alt. (Am7)
㉘
Bm7(♭5) E7alt. (Am7)
3
㉙
Bm7(♭5) E7alt. (Am7)
3
㉚
Bm7(♭5) E7alt. (Am7)
3

２小節のマイナーii-Vプログレッション(ロングii-V)に関しては、２つのショート・マイナーii-Vのラインをくり返しても、各コードのマテリアルを延ばしてもよいでしょう。

次のハーモニック・ヴァンプを使って、これまでに学習したマイナーii-Vのラインをプレイ・アロングCDに合わせて練習しましょう。

12
CD track

マイナーii-Vヴァンプ

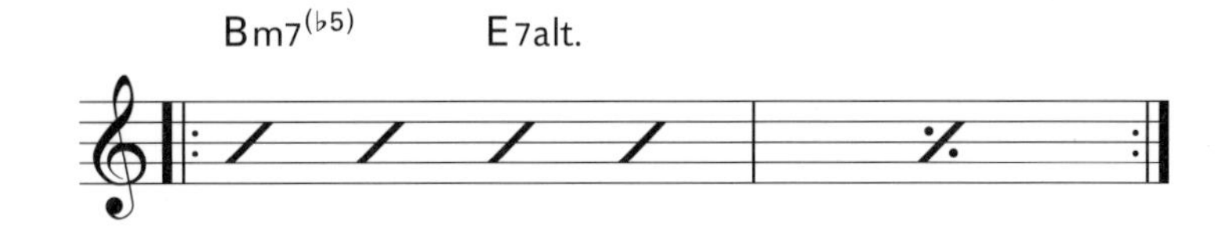

Track 13のリズム・トラックを使って、サークル・オブ4thに沿って移調する練習をしましょう。この練習は、ラインを12のキーすべてで確実に習得できます。

13
CD track

4度で移動するマイナーii-Vのラインの練習

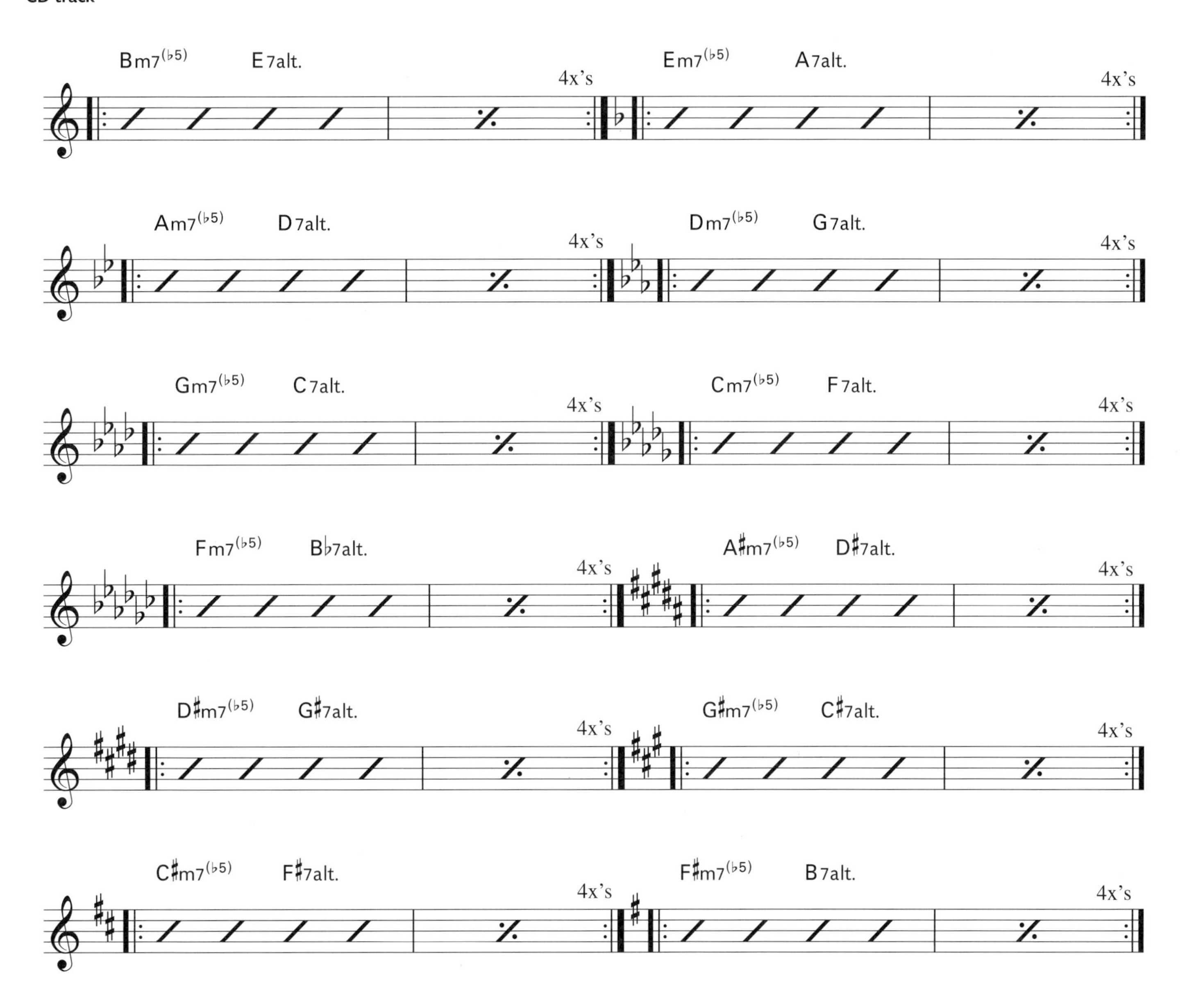

プレイ・アロングCDの伴奏を使って、メジャーとマイナーのii-V-Iプログレッション上でパターンを組み合わせる練習をしましょう。各コードに対するフレイズ・パターンには、マイナー・コード、ドミナント7thコード、ショートii-V、ロングii-V、メジャー・コードのそれぞれのチャプターで学んだラインを使いましょう。さまざまなコンビネーションを創る可能性は無限にあります。

ショートii-V-Iヴァンプ

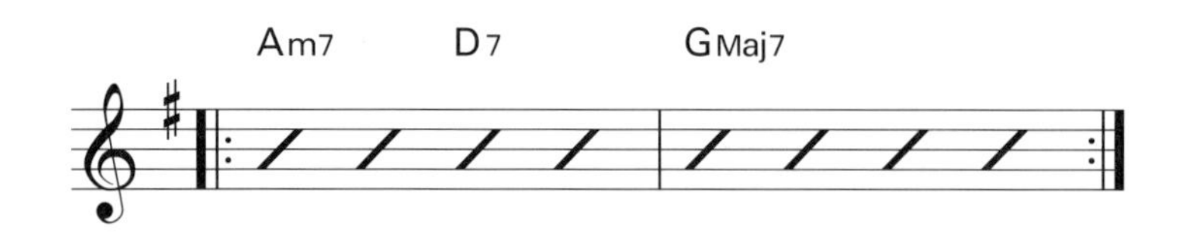

15
CD track

4度で移動するショートii-V-Iのラインの練習

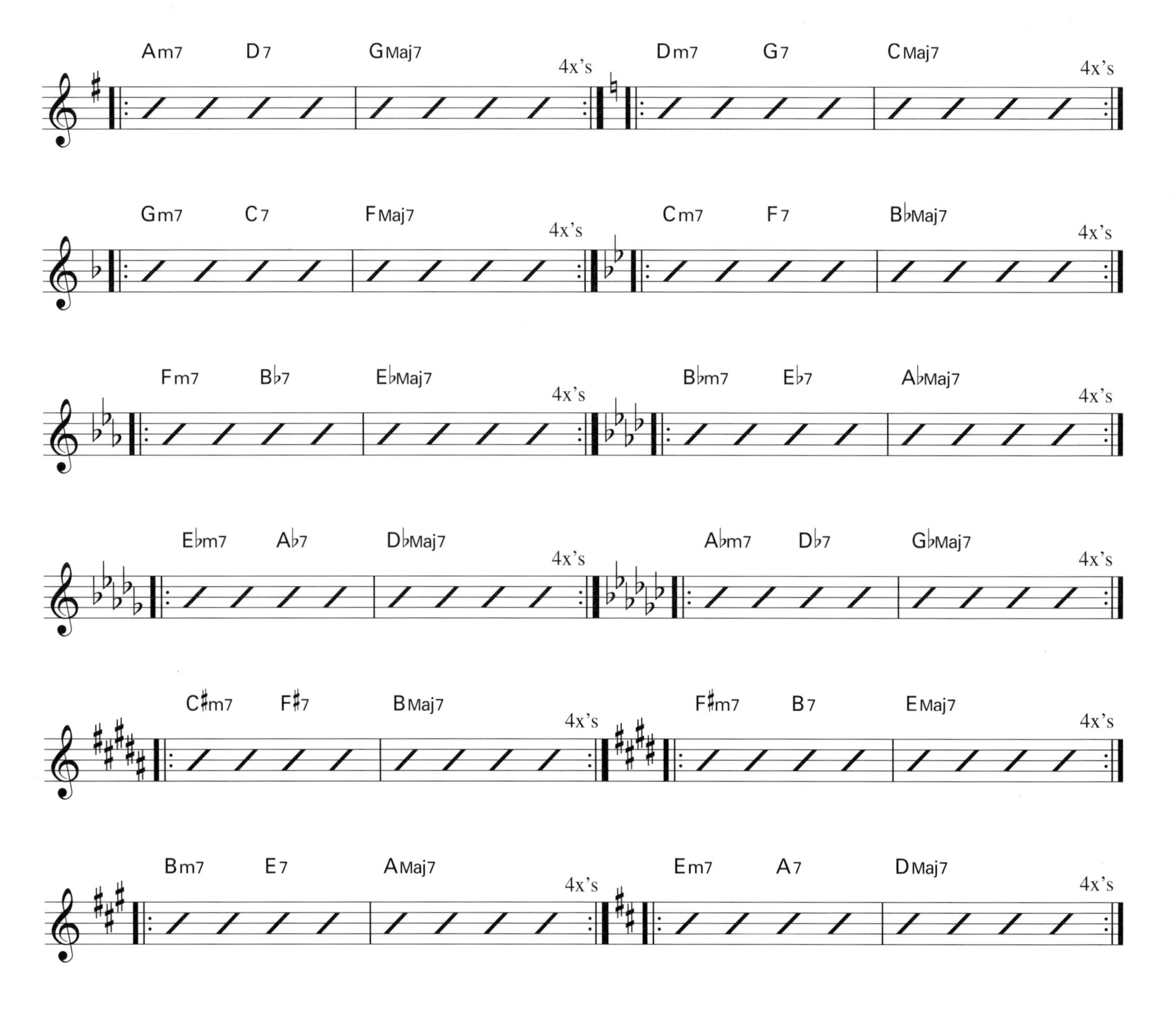

16
CD track

ロングii-V-Iヴァンプ

17
CD track

4度で移動するロングii-V-Iのラインの練習

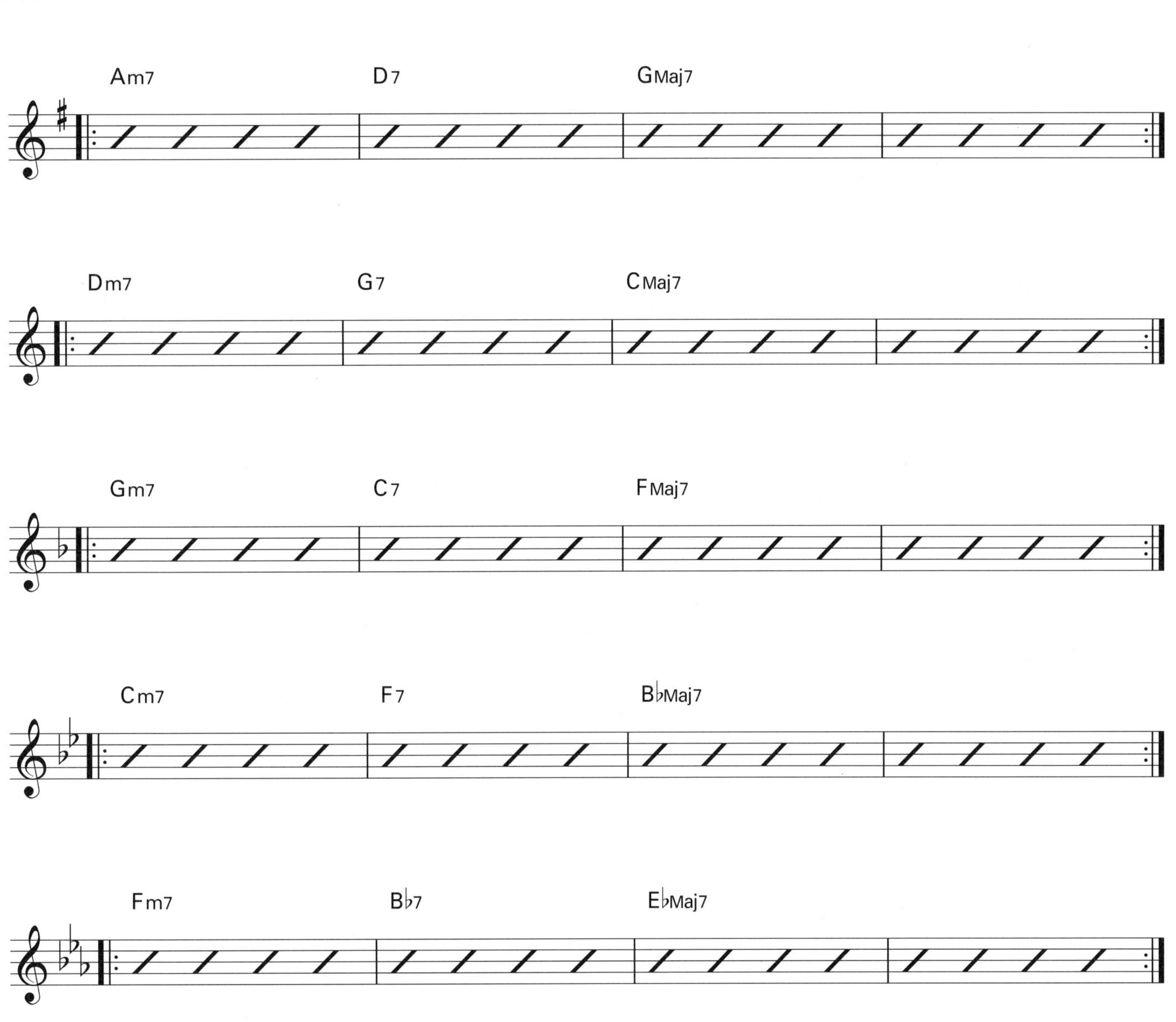

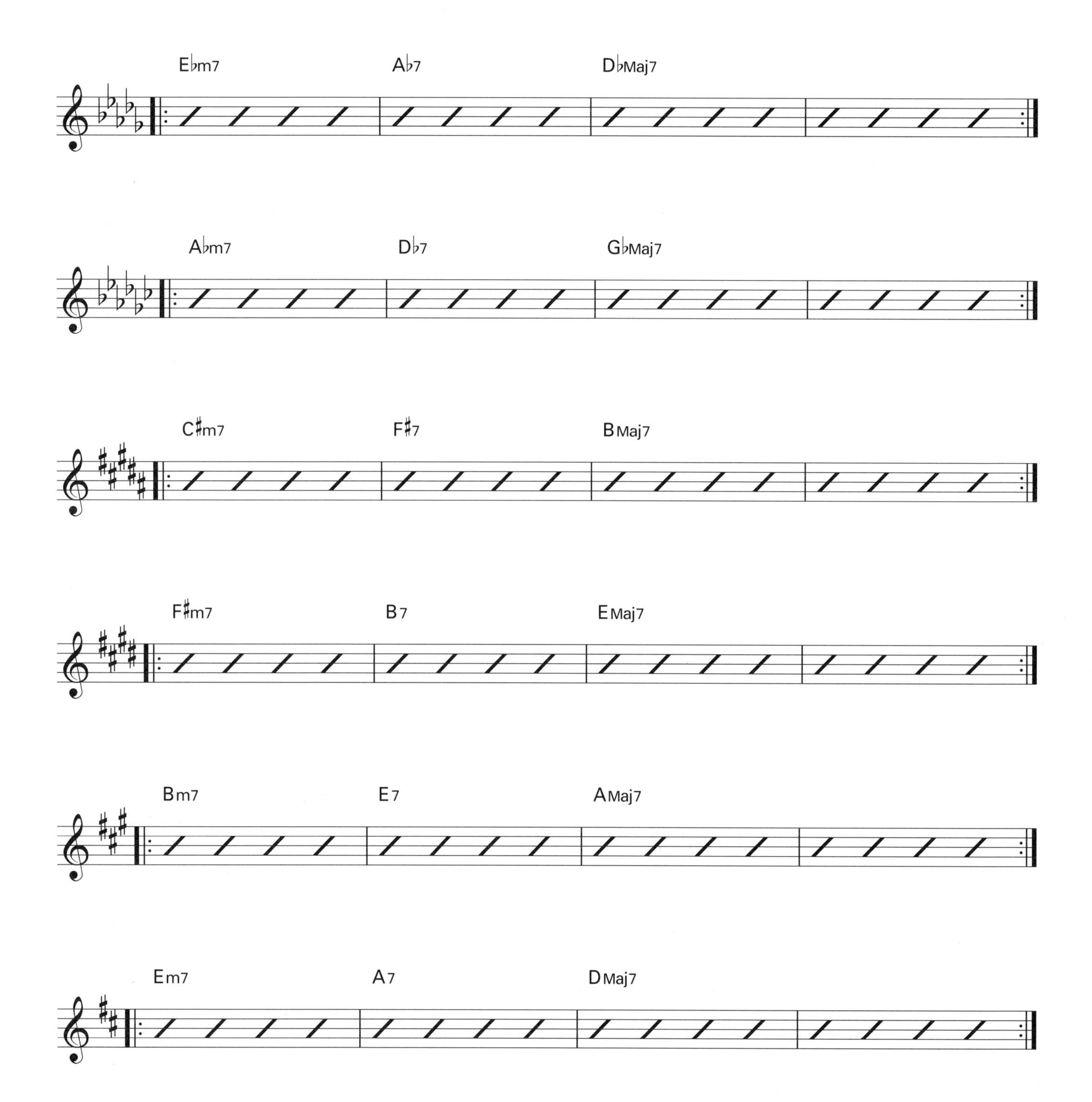

E♭m7
A♭7
D♭Maj7
A♭m7
D♭7
G♭Maj7
C♯m7
F♯7
BMaj7
F♯m7
B7
EMaj7
Bm7
E7
AMaj7
Em7
A7
DMaj7

18
CD track

マイナーii-V-i ヴァンプ

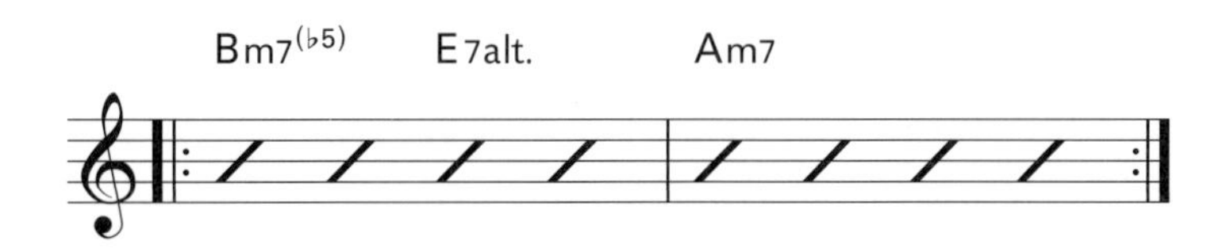

19
CD track

4度で移動するマイナーii-V-i のラインの練習

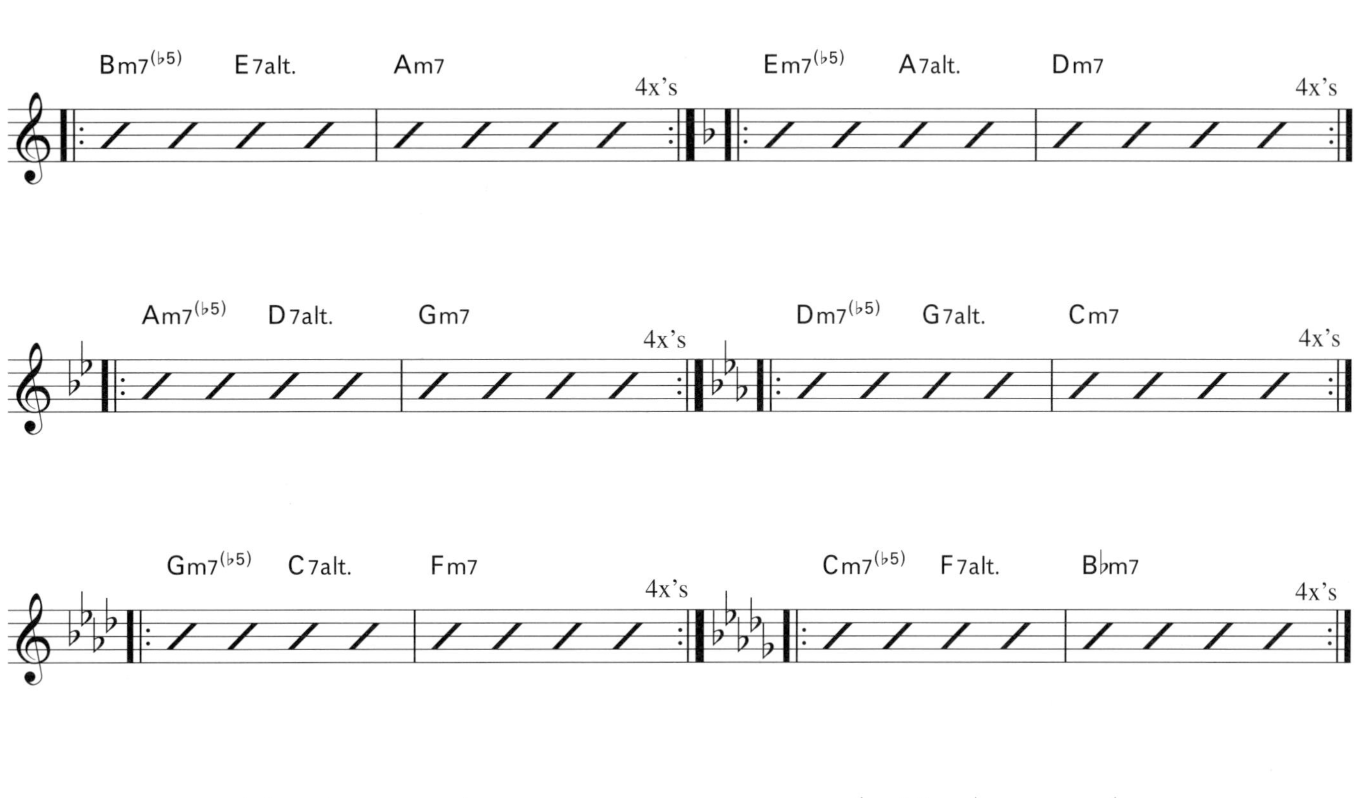

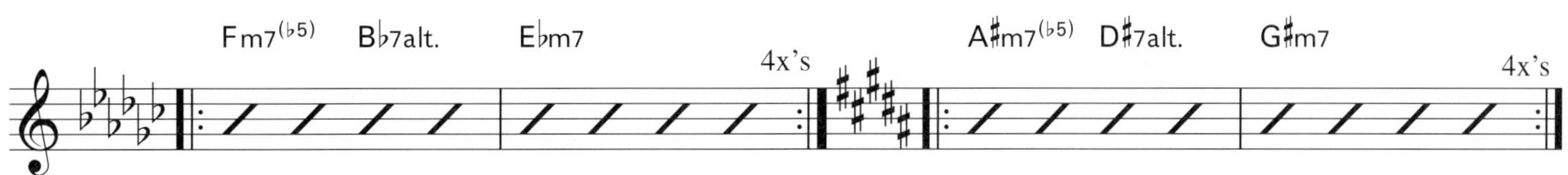

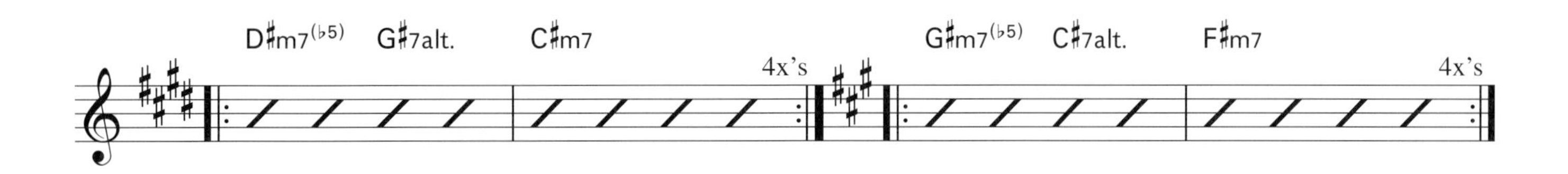

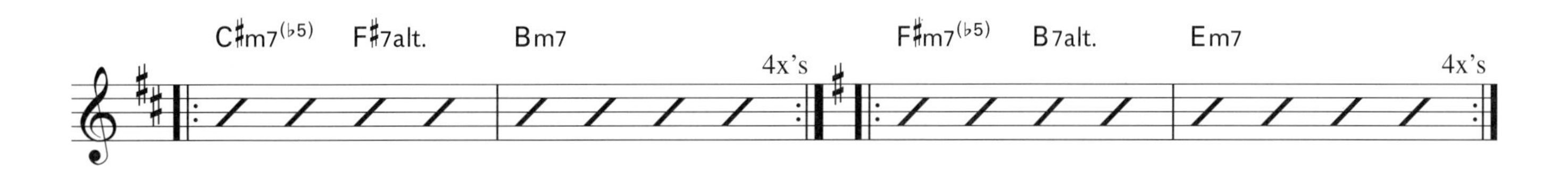

ターンアラウンド

ジャズにおける一般的なターンアラウンドには、マイナーii-Vからメジャーii-Vへ進むコード・プログレッションがあります。メジャーii-Vはトニック・メジャー・コードに解決します。ターンアラウンドは、そのトニック・コードに解決する小節の2小節前から始まります。多くの曲がトニックから始まるために、そのトニックへ進むためのターンアラウンドは曲の最後の2小節に見ることができる場合が多いのです。以下のプログレッションは、Bm7(♭5), E7alt., Am7, D7コードがGキーでのターンアラウンドを形作っています。マイナーii-V上で使えるラインと、メジャーii-Vのラインを組み合わせることによって、ターンアラウンドの上で使えるラインを簡単に創ることができます。以下の例は、メジャーとマイナーのii-Vラインをどのように組み合わせてインプロヴァイズするのかを提示したものです。

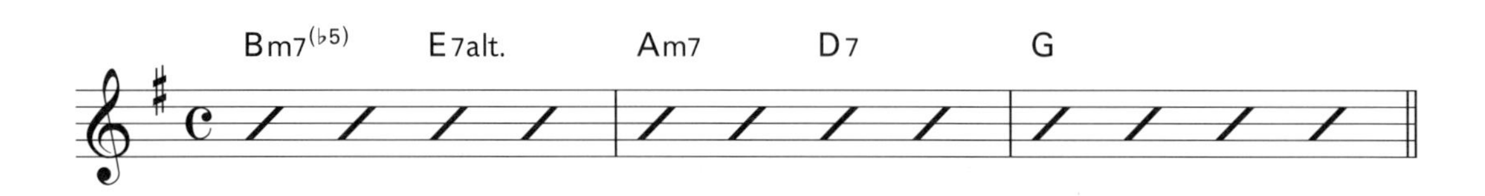

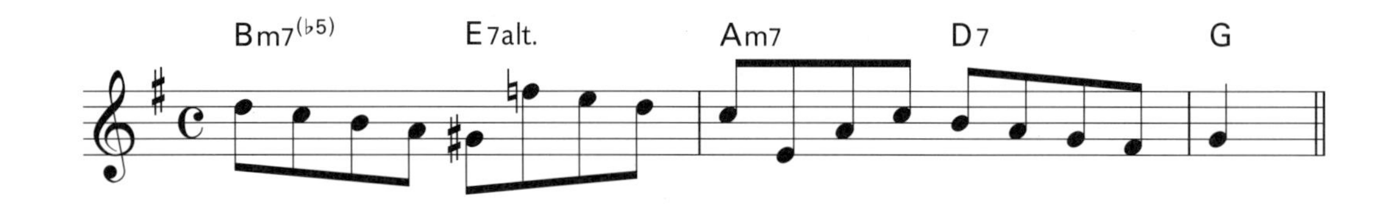

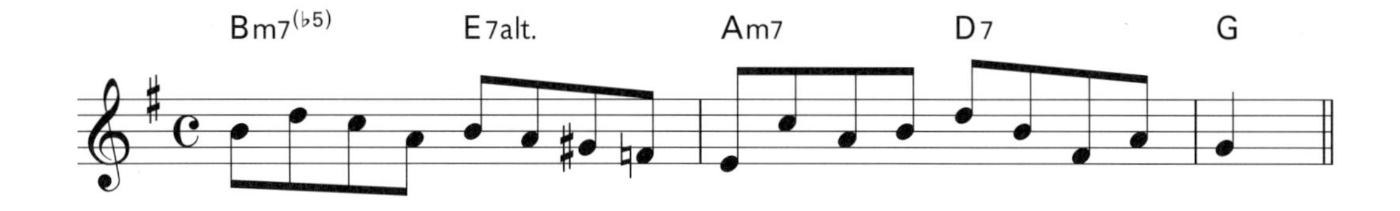

以下のターンアラウンドに合わせてマイナーとメジャーのii-Vラインを組み合わせる練習をしましょう。以下のターンアラウンドはプレイ・アロングCDに収録されています。

20 CD track

ターンアラウンド・ヴァンプ

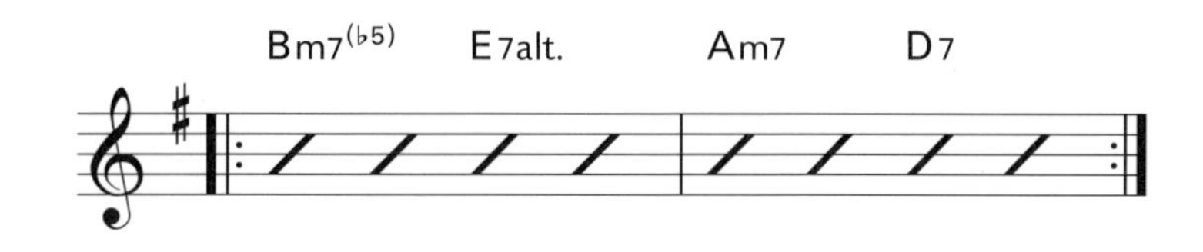

21 CD track

4度で移動するターンアラウンドのラインの練習

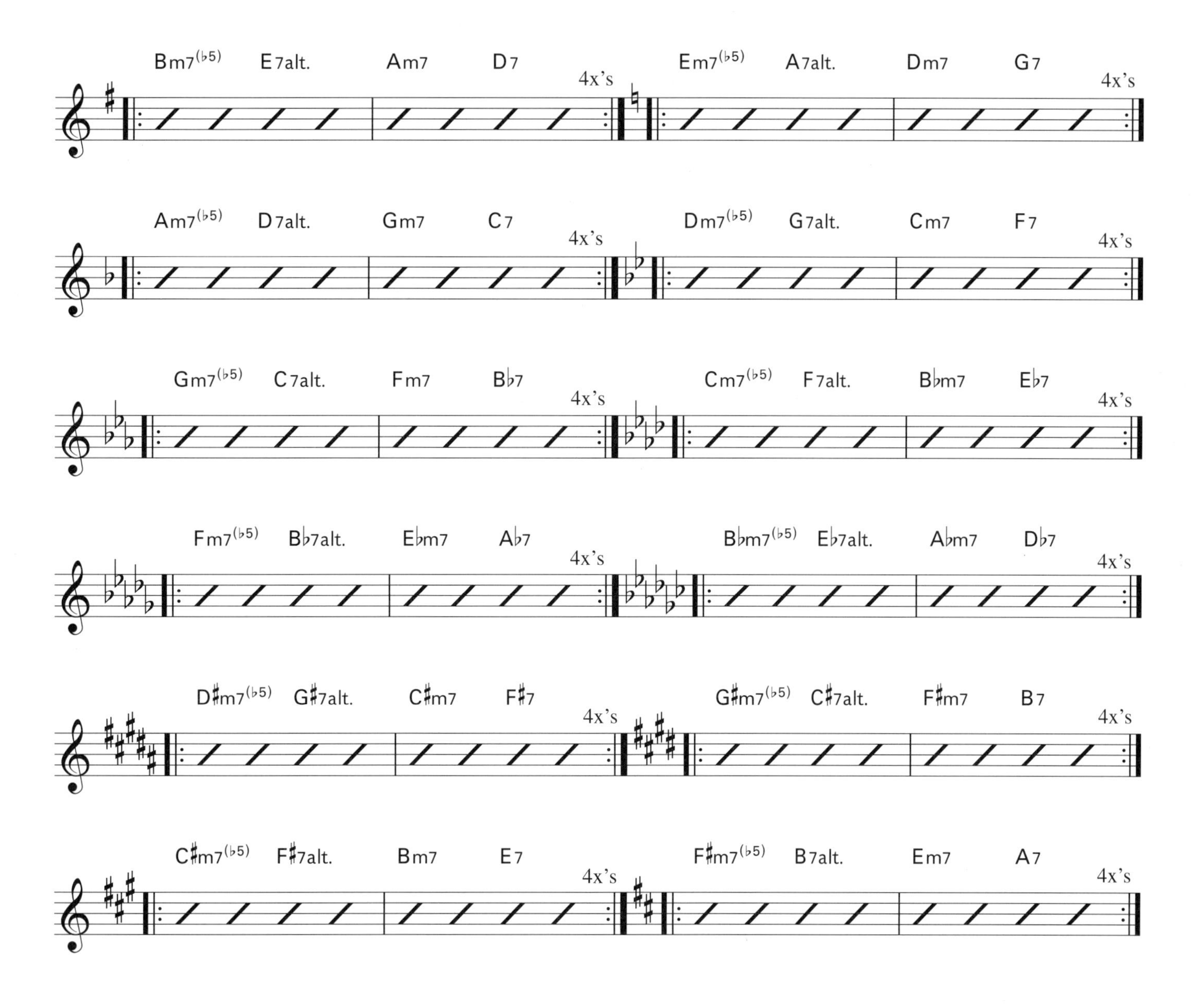

ソロを創る

以下のエチュードは、本書に出てきたラインやそのヴァリエーションのラインを実際にインプロヴァイズするソロでどのように創り、使えるのかを示しています。ソロを創る場合、まず各マテリアルから１つか２つラインを選んで練習します。それがマスターできたら次のラインを練習します。ソロの中で１つのラインから次のラインへと音楽的かつ自然に流れるようにするためには、各ラインを微調整する必要があるでしょう。そのために、本書に出てきた各種のテクニック(3rdから♭9th、セカンダリー・アルペジオ、ターゲッティングなど)を使って、異なるライン同士を連結させます。ソロを組み立てるために、このような練習をすることは、クリフォード・ブラウンのスタイルを学ぶ上で非常に有効です。Track 22と24は、トランペットによる模範演奏、Track 23と25は、伴奏トラックです。

22 CD track 23 CD track Pent Up House タイプのプログレッションを使用したエチュード

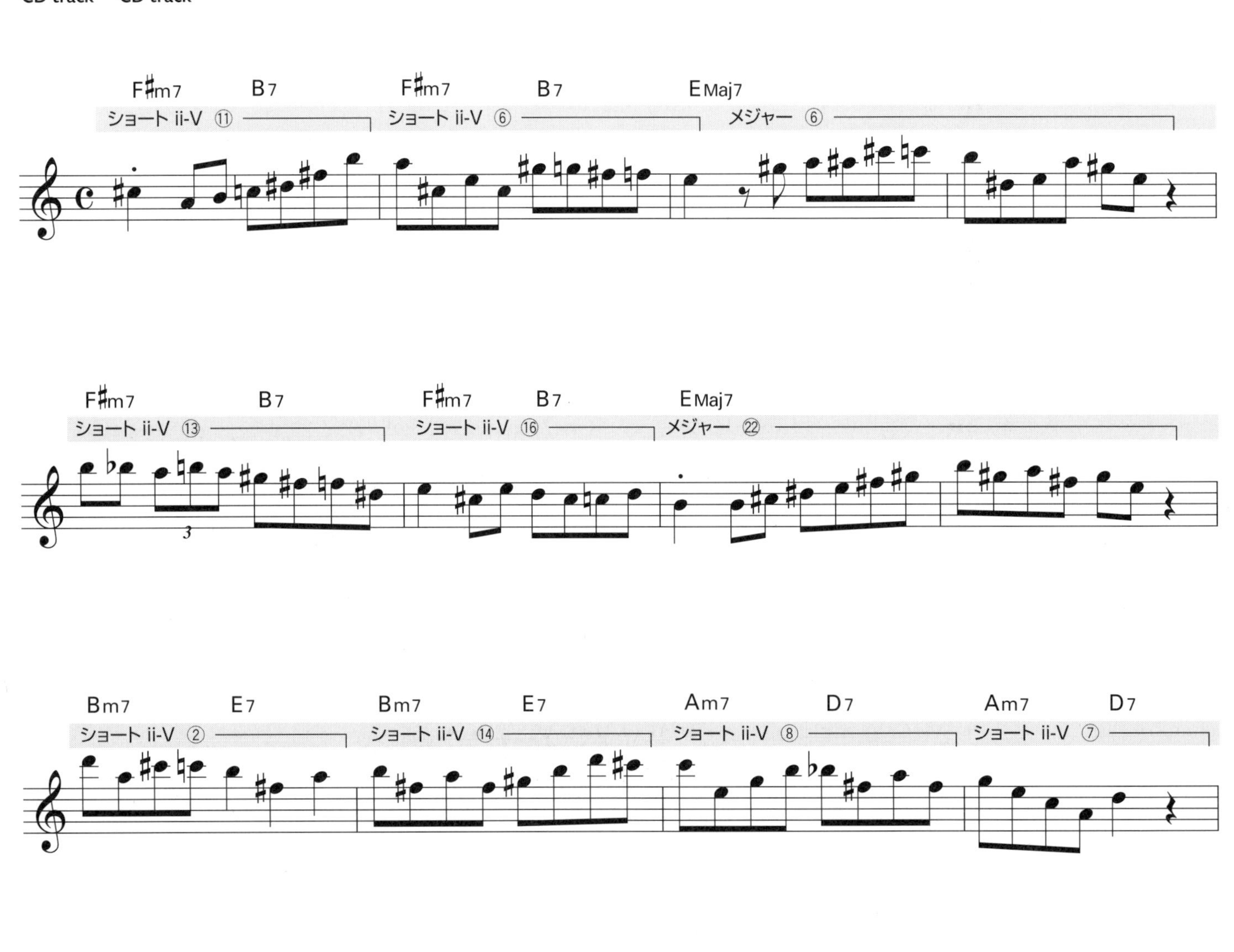

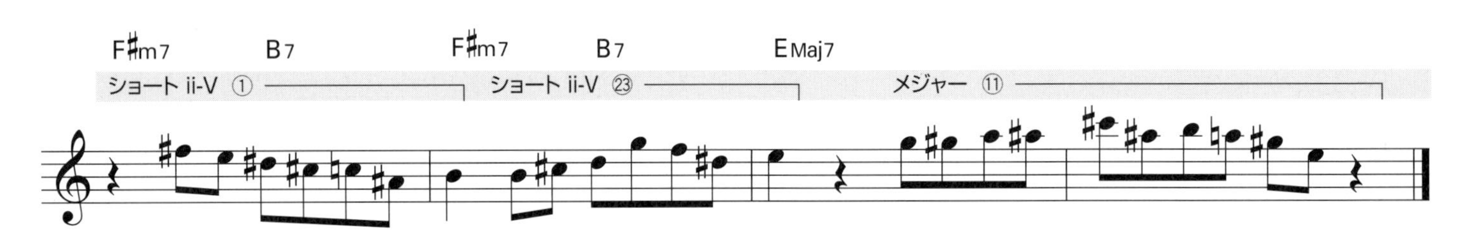

24 CD track 25 CD track

CONFIRMATION タイプのプログレッションを使用したエチュード

Track 26 と Track 27 を使って、本書で学んだメロディック・アイディアをつなげる練習をしましょう。また、本書で学んだコンセプトやアイディアを使う練習もしましょう。

CD track

G 12-Bar Blues

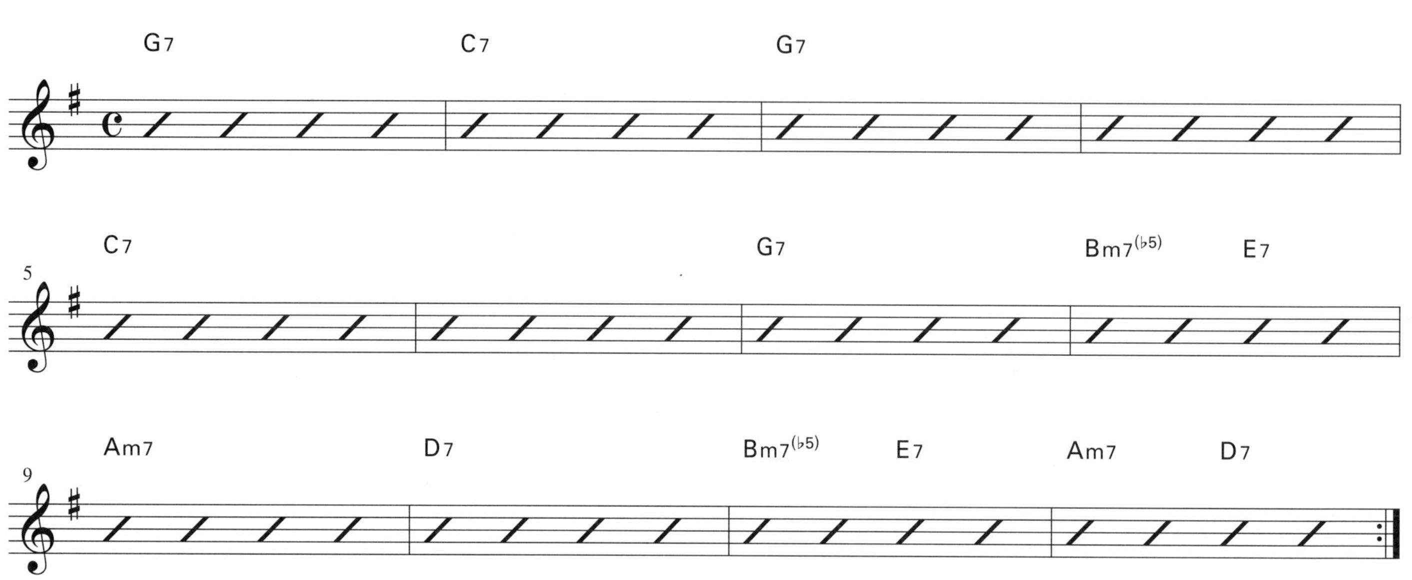

27
CD track

Solar タイプのプログレッション

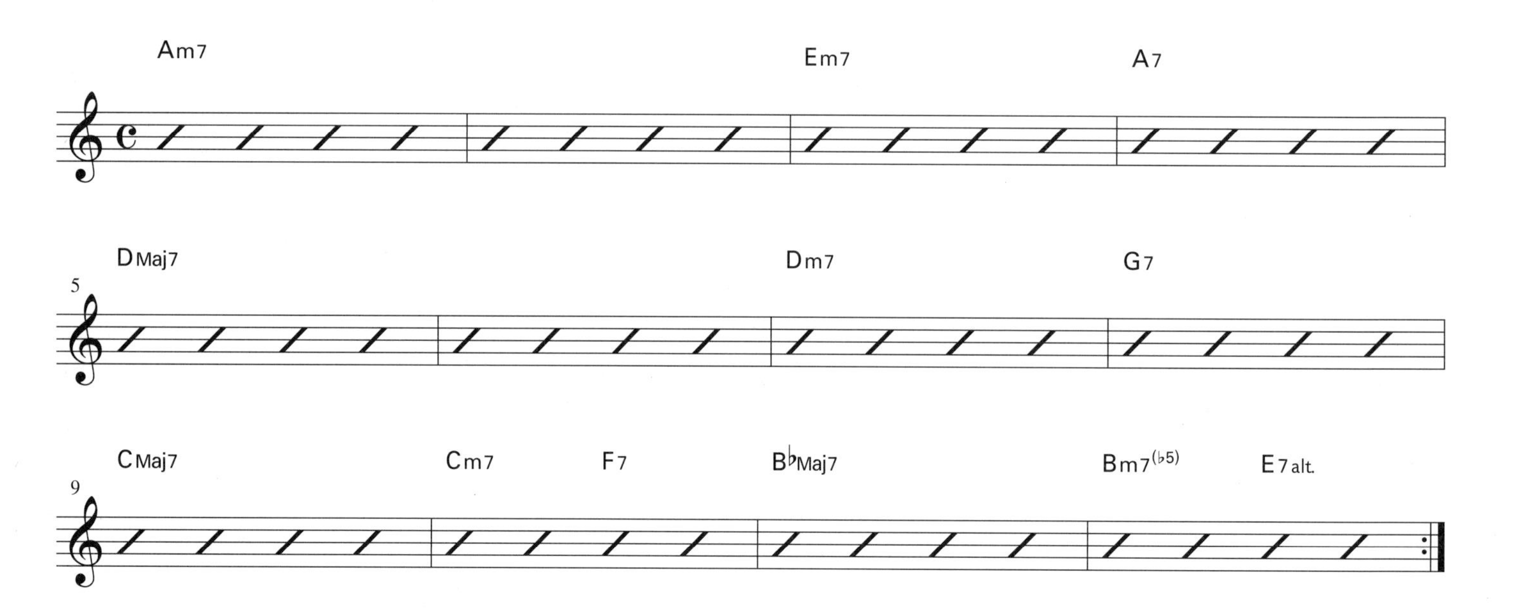

おわりに

私たちが本書で目指したことは、プレイヤーがクリフォード・ブラウン・スタイルのヴォキャブラリーを身につけるための練習材料を提供することです。本書に譜例として提示されていたラインと同じコンセプトで、オリジナルのラインを創りましょう。

あなたが本書を楽しんでくれたことを願っています。これは、すばらしい音楽のヴォキャブラリーを習得するためのひとつの方法にすぎません。ジャズ・ミュージシャンの学習プロセスは終わりのない旅であり、私たちはインスピレーションを得るために常に歴代の偉大なプレイヤーを研究します。今の時代は豊富な情報がどこでも手に入り、たくさんのジャズ・インプロヴィゼイションに関する良い本もあります。しかし、ただ１つもっとも重要なことは、学ぶ方法は今も1920年代のジャズ・ミュージシャンも同じで**音楽を聴く**ということにあるのです。偉大なプレイヤーのアルバムを聴いて聴いて聴きまくることです。そして、あなたが見に行ける場所(近くのジャズ・クラブなど)に出かけて行き、いろいろなジャズ・プレイヤーの演奏を聴きましょう。

音楽とあなたの大いなる好奇心を楽しみましょう。

Corey and Kim

推奨レコーディング

Clifford Brown and Max Roach		EmArcy
Clifford Brown and Max Roach	Study In Brown	EmArcy
	More Study In Brown	EmArcy
Clifford Brown and Max Roach at Basin Street		EmArcy
Brown and Roach Incorporated		EmArcy
Clifford Brown with Strings		PolyGram
Clifford Brown	Brownie Eyes	Blue Note
Daahoud		Mainstream Records
Clifford Brown Sextet		Blue Note
The Clifford Brown Quartet in Paris		Prestige
Clifford Brown	The Complete Paris Sessions Vol 1	Vogue
Clifford Brown	The Complete Paris Sessions Vol 2	Vogue
Clifford Brown	The Complete Paris Sessions Vol 3	Vogue
Clifford Brown	Clifford Brown and Art Farmer	Prestige
Brownie Lives! Max Roach - Clifford Brown Quintet Live at Basin Street and In Concert at Carnegie Hall		Fresh Sound Records
The Beginning and the End		Columbia Jazz Masterpieces
Lou Donaldson-Clifford Brown Quintet		Blue Note
Jay Jay Johnson Sextet		Blue Note
Tad Dameron	A Study in Dameronia	Prestige
Art Blakey Quintet:	A Night At Birdland Vol 1	Blue Note
	A Night At Birdland Vol 2	Blue Note
Sonny Rollins:	Plus Four	Prestige
Clifford Brown Memorial Album, 1953		Blue Note
Clifford Brown Memorial Album, 1953		Prestige
Best of Max Roach and Clifford Brown in Concert		GNP Crescendo
Brownie: The Complete Clifford Brown on EmArcy		EmArcy
The Complete Blue Note-Pacific Jazz Recordings		Pacific

あなたのニーズと目的に合わせてチョイスできる　ギター・プライヴェート・レッスン・シリーズ

本シリーズは、*Jon Finn*、*Vic Juris*、*Steve Masakowski*、*Sid Jacobs*、*Mimi Fox*、*Ron Eschete*、*Barry Greene*、*Bruce Saunders*、*Mark Boling*、そしてジャズ・ラインの探求シリーズでおなじみ *Corey Christiansen* など、最高のプレイヤーやエデュケーターによって書かれた本とCDのセットです。

この**コンセプト徹底活用シリーズ**は、初心者から上級者までのミュージシャンが、さまざまな特定のコンセプトを消化しやすい形で伝授するということを可能にしてくれました。

定価［本体2,500円+税］

豊かなハーモニーを生み出す
ジャズ・イントロ&エンディング《模範演奏CD付》

Jazz Intros and Endings

by Ron Eschete

ジャズ・イントロ&エンディングは、さまざまなキーやスタイルの楽曲におけるイントロとエンディングを60例紹介しています。著者 *Ron Eschete* は *Ray Brown*、*Gene Harris*, *Ella Fitzgerald* をはじめとするビッグネームと共演するなど有名で、称賛されているギタリストです。ここでの豊かなハーモニーによるフレーズは、あなた自身のイントロやエンディングを生み出すうえで多くのすばらしいアイディアと理解をもたらすでしょう。譜面では5線譜に加えられたコード・ダイアグラムが学習の助けとなります。

定価［本体2,500円+税］

ジャズ・コードとラインを活かすガイド・トーン
ザ・チェンジ《模範演奏CD付》

The Changes: Guide Tones for Jazz Chords, Lines & Comping

by Sid Jacobs

ザ・チェンジ は、フレットボード上でガイド・トーンを視覚化(頭の中で、指の細かな動きまで、具体的に思い浮かべること)するノウハウを提供するもので、ビギナーから上級者まで利用できる効果的なアプローチです。**視覚化されたシェイプ**を元に、ソロでのラインや、コンピングやコード・メロディのためのヴォイシングを創りだすことができます。

シンプルなアプローチこそが常にベストです。ガイド・トーンはプレイを容易にするだけでなく、コード・プログレッションを心地よく耳に伝えます。またガイド・トーンを装飾することは、バロックからビバップ、さらにその先の音楽に至るまで、ミュージシャンたちがインプロヴィゼイションにおいてコード・チェンジを行う際にずっと用いてきた手法です。

定価［本体2,500円+税］

センスある伴奏テクニックを学ぶ
コンピング・コンセプト《模範演奏CD付》

Creative Comping Concepts for Jazz Guitar

by Mark Boling

コンピング・コンセプト は、6つのコード・プログレッションにおけるコンピング・ヴォキャブラリーを発展させることによって、この状況を改善することを目指します。本書で使われるコード・プログレッションのモデルは、ブルース、リズム・チェンジ、マイナー・ブルース、モーダル・チューン、そしていくつかのスタンダードといった、ジャズ・イディオムにおいてもっともよく使われるものです。焦点は、リズム、フレージング、コード・ヴォイシング、ヴォイス・リーディング、コード・サブスティテューション、そしてリハーモナイゼーションに対するコンテンポラリーなアプローチを発展させることにあてています。本書で紹介するコンピング・コンセプト、リズム、そしてフレーズは、たくさんのさまざまな音楽的状況において適用されます。一度ヴォキャブラリーを習得すれば、**適切な時に、それらが自然に自分の中から出てくるようになる**でしょう。

定価［本体2,500円+税］

一歩進んだインプロヴァイジング・コンセプト
ジャズ・ペンタトニック《模範演奏CD付》

Jazz Pentatonics / Advanced Improvising Concepts for Guitar

by Bruce Saunders

本書**ジャズ・ペンタトニック**では、典型的なギター学習者特有の要求に対応しながら、より活発なハーモニーの動きにおけるペンタトニック・スケールとその使用方法にアプローチすることを試みます。したがって、まずいくつかの基本的なインフォメーションを紹介してから、さまざまなハーモニーの状況における特定のペンタトニック・スケールの使い方を提示します。静止したハーモニー上のペンタトニック・スケールの使い方についても簡単に探求しますが、ギターをピアノ、サクソフォン、またはトランペットと同じ土俵に上げ、**ペンタトニック・スケールとコード・チェンジの関係を研究することが、本書の中心的なテーマ**です。

定価［本体2,500円+税］

一歩進んだインプロヴィゼイションのためのアイディア
上級ジャズ・ギター・インプロヴィゼイション《模範演奏CD付》

Advanced Jazz Guitar Improvisation

by Barry Greene

本書は中級から上級者のジャズ・ギタリストに向けて書かれています。コード・スケールとジャズ理論に関する、相応の知識をもっていることを前提としています。テーマとして、モード的な演奏、コード・サブスティテューション、ディミニッシュおよびメロディック・マイナー・スケール、そしてペンタトニックを取り上げます。

Mel Bay's PRIVATE LESSONS Series

ブルース/ロック・インプロヴィゼイション《模範演奏CD付》

BLUES/ROCK IMPROV

by Jon Finn

定価［本体2,500円＋税］

本書**ブルース/ロック・インプロヴィゼイション**では、ブルース/ロックのソロ演奏に関する基本を紹介します。具体的には、基本的なリズム・ギター・パート、基本的なブルース・プログレッション、ターンアラウンド、ソロ・エクササイズ、そしてソロの演奏例を学びます。付属CDに収録されている曲は、重要な技術と考えられるものを強調するように工夫されています。

すばらしいブルース/ロックのソロは、２つか３つの簡単なコード上で演奏される、いくつかのシンプルなペンタトニック・ロック・リックにすぎません。多くのギタリストたちが、**あまりにも単純**なので、**時間をかけて練習する必要はない**という大きな誤解をしてしまいます。より注意深く聴いてみると、多くのブルース/ロックのソロには、共通する傾向があります。技術的には簡単に演奏できるが、課題は、自分自身のアイディアをもち、スタイルの傾向に従って、それを正確に実践し、そしてリスナーが注目するに値する情熱を込めることです。**簡素と簡単は同じではない**のです。

ロック/フュージョン・インプロヴァイジング《模範演奏CD付》

ROCK/FUSION IMPROVISING

by Carl Filipiak

定価［本体2,500円＋税］

本書では、フュージョン特有の多くのコンセプトを取り上げ、解説します。これらのアイディアを自分の演奏に取り入れれば、プレイ・アロングCDに収録されている曲のみならず、その他のフュージョンやジャズの曲を演奏する上でも役に立つでしょう。

本書は、*Miles Davis*、*Mahavishunu Orchestrs*、*Weather Report*、*Tribal Teck*、*Mike Stern*、*Jeff Beck*など、ロックの要素を取り入れたスタイルを中心に書かれています。ロックやブルースの基礎に慣れていれば、ほとんどの譜例に適応できるはずです。ジャズに精通した人であれば、なおさら簡単に理解することができるでしょう。

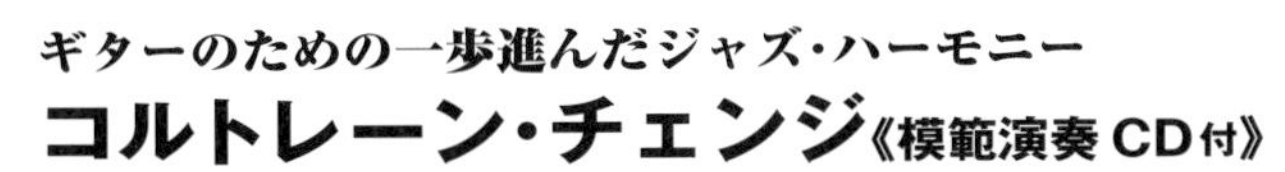

ギターのための一歩進んだジャズ・ハーモニー
コルトレーン・チェンジ《模範演奏CD付》

COLTRANE CHANGES / APPLICATIONS OF ADVANCED JAZZ HARMONY FOR GUITAR

by Corey Christiansen

定価［本体2,500円＋税］

偉大なジャズ・インプロヴァイザー、ジョン・コルトレーンは1960年に発表したアルバムGiant Stepsによって、その後のリハーモニゼイションの世界に大きな影響を与えました。本書では、難解とされるコルトレーン・チェンジ（コルトレーンのリハーモニゼイション）を基礎から分析、解説し、スタンダードやブルースのコンピングやソロに応用する方法を学びます。現在では、このコルトレーン・チェンジもジャズ・インプロヴィゼイションの基本的な手法になっています。これを機に、この難題にチャレンジしてみましょう。

ギターのための高度なブルース・リハーモナイゼイションとメロディック・アイディア
モダン・ブルース《模範演奏CD付》

MODERN BLUES / ADVANCED BLUES REHARMONIZATIONS & MELODIC IDEAS FOR GUITAR

by Bruce Saunders

定価［本体2,500円＋税］

本書は、ブルース演奏におけるメロディックおよびハーモニックなヴォキャブラリーを発展させたい中級から上級のプレイヤーに最適です。ここではジャズで演奏されること多い、リハーモナイズされた12小節のブルースを取り上げ、チャーリー・パーカー、ジョン・コルトレーン、ジョー・ヘンダーソンなど、偉大なプレイヤーの手法を分析しています。付属のCDには模範演奏だけでなく、ドラム、アコースティック・ベース、ギターによる生演奏が収録。リズム・セクションと一緒に練習することができます。

ギターのための一歩進んだハーモニー
モダン・コード《模範演奏CD付》

MODERN CHORDS / ADVANCED HARMONY FOR GUITAR

by Vic Juris

定価［本体2,500円＋税］

練習、応用、作曲は、実用的なコード・ヴォキャブラリーを発展させるための鍵となる３つの要素です。そして、それこそが、本書のテーマです。新しいコードを発見することは、この上ない喜びです。しかし、そのコードをヴォキャブラリーに加えることは、また別の話です。新しい単語を学んだら、それを毎日の会話で使わなければ、すぐに忘れてしまうでしょう。すなわち、それが練習であり、応用です。さらに、その新しい単語を使って記事やEメールを書くとしましょう。それが、ここで意味する作曲なのです。

【主な内容】ハーモニック・シラバス、トライアド、トライアドの応用、ヴォイス・リーディング、スプレッド・トライアド、ヴォイシングの観察、スプレッド・トライアドを使用した作曲、複合トライアド、複合トライアドを使用した作曲、ビッグ・ファイブ、基本的な7thコード、インターヴァリック・ストラクチュアとモーダル・コード

ジャズ・インプロヴィゼイション・シリーズ
JAZZ IMPROVISATION

ジャズ・マスターたちのインプロヴィゼイション・ソロをトランスクライブ
時代を越えた不滅のソロは、音楽を志す人たちのバイブルとなる

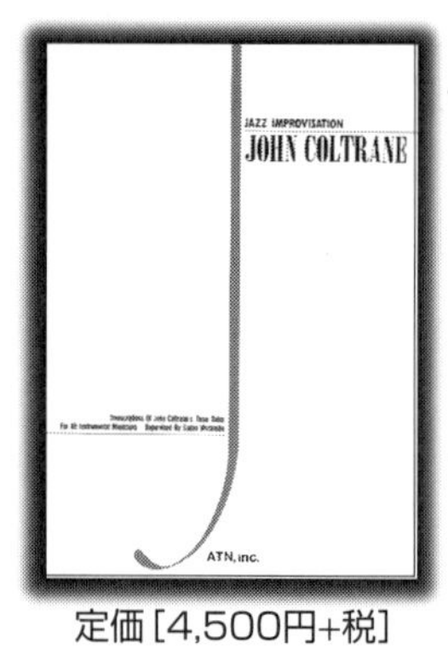

定価［4,500円+税］

JOHN COLTRANE
Blue Train / Moment's Notice / Lazy Bird / Good Bait / Giant Steps / Cousin Mary / Mr.P.C / Some Other Blues / Everytime We Say Goodbye / Blues to You / Mr. Day / Central Park West / Liberia / Equinox / Aisha / Blues Minor / Spiritual / Up 'Gainst the Wall / Impressions / You Don't Know What Love Is / Soul Eyes / The Inch Worm / Miles' Mode / Take The Coltrane / Big Nick / My One and Only Love / The Promise / Crescent / Wise One

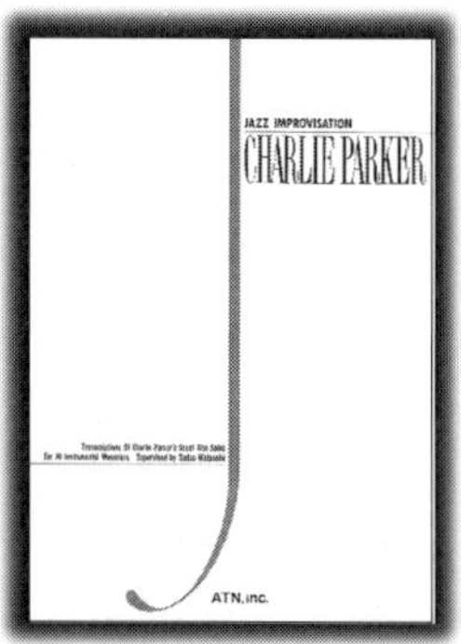

定価［2,800円+税］

CHARLIE PARKER
Diggin' Diz / Bird's Nest / Cool Blues / Cheers / Dexterity / Bongo Bop / Bird of Paradise (A) / Bird of Paradise (B) / Bird of Paradise (C) / the Hymn / Klact-Oveeseds-Tene / Bird Feathers / Out of Nowhere / Charlie's Wig / Bongo Beep / Perdido / Hot House / A Night in Tunigia / Easy to Love/ I'll Remember April / Lover Man / My Old Flame / 52nd Street Theme / How High the Moon / Groovin' High

定価［2,800円+税］

BILL EVANS TRIO
Autumn Leaves / My Foolish Heart / Waltz for Debby / My Man's Gone Now / Who Can I Turn To / Make Someone Happy

JOE PASS / Jazz Guitar Solo
Here's that Rainy Day / How High the Moon / All Things You Are / Giant Steps / Misty / Feelings / If

定価［2,800円+税］

WES MONTGOMERY
Airegin / West Coast Blues / June in January / Twisted Blues / I Wish I Knew / I'm Just a Lucky So and So / Somethin' Like Bags / S.K.J. / Besame Mucho / Days of Wine and Roses / Canadian Sunset / Fried Pies / For Heaven's Sake / Blue 'N' Boogie / Come Rain or Come Shine / People / Movin' Wes (part 1) / Movin' Wes (part 2) / Unit 7 / Portrait of Jennie / Misty / Night Train / Baby It's Cold Outside / OGD / Call Me / Watch What Happens / Wind Song / Georgia on My Mind / The Other Man's Grass Is Always Greener

定価［4,300円+税］

MILES DAVIS
Godchild / Israel / Dig / I'll Remember April / Four / Tune Up / Walkin' / You Don't Know What Love Is / Bags' Groove / Airegin / Oleo / Doxy / Nature Boy / Miles' Theme / Sweet Sue / If I were a Bell / It Could Happen to You / It Never Entered My Mind / Salt Peanuts / My Funny Valentine / Autumn Leaves / Sid's Ahead / Django / So What / Freedie Freeloader / Blue in Green / Pfrancing / Seven Steps to Heaven / Joshua / All of You / Stella by Starlight / E.S.P / Stuff

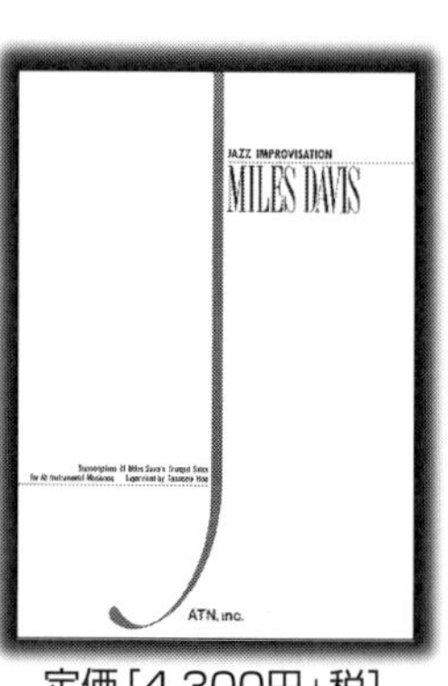

定価［4,300円+税］

ATN, inc.

エッセンシャル・ジャズ・ライン
クリフォード・ブラウン・スタイルの探究

E♭インストゥルメンツ

Essential Jazz Lines
in the style of **Clifford Brown**

発　行　日　2004年12月10日（初　版）

著　　　者　Corey Christiansen and Kim Bock
翻　　　訳　佐藤 研司
発行・発売　株式会社 エー・ティー・エヌ
　　　　　　© 2004 by ATN,inc.
住　　　所　〒161-0033
　　　　　　東京都新宿区下落合 3-12-21 目白エミネンス 102
　　　　　　TEL 03-6908-3692 / FAX 03-6908-3694
ホーム・ページ　http://www.atn-inc.jp

3522

ISBN4-7549-3522-5